D0094481

Toxic Food

Enquête sur les secrets de la nouvelle malbouffe

Du même auteur

Documents

Dominici non coupable, les assassins retrouvés (préface d'Alain Dominici), Flammarion, 1997 ; nouvelle édition, Flammarion, 2003.
JFK, autopsie d'un crime d'État, Flammarion, 1998.
Mémoires de profs, Flammarion, 1999.
Mafia S.A., les secrets du crime organisé, Flammarion, 2001.
Bush Land (2000-2004), Flammarion, 2004.
Coca-Cola, l'enquête interdite, Flammarion, 2006.
Toxic, Flammarion, 2007.
Marilyn, le dernier secret, Flammarion, 2008.
Avec Alain Dominici : *Lettre ouverte pour la révision*, Flammarion, 2003.
Avec Billie Sol Estes : *JFK, le dernier témoin*, Flammarion, 2003.

Romans

Rouge lavande, Flammarion, 1999.
Les Cigales de Satan, Flammarion, 2000.

William Reymond

Toxic Food

Enquête sur les secrets de la nouvelle malbouffe

Flammarion

ISBN : 978-2-0812-1439-2

À Jessica, Thomas et Cody
sans qui tout cela serait totalement dénué de sens.

Nous pourrions bien nous apercevoir un jour que les aliments en conserve sont des armes bien plus meurtrières que les mitrailleuses.

George Orwell

Comment comprendre les maladies de l'homme quand on ne connaît rien à l'alimentation ?

Hippocrate

1

Plongée

Les fantômes de Rio Grande City ne m'ont jamais vraiment quitté.

Cette ville du sud du Texas était la dernière étape de mon enquête sur les responsables de la crise mondiale d'obésité[1]. Or, sur la Highway 83, à quelques kilomètres du Mexique, ce que j'avais découvert m'avait, malgré moi, propulsé vers notre avenir alimentaire et sanitaire.

En voyant la profusion des enseignes lumineuses siglées McDonald's, Burger King et Pizza Hut, en constatant la quantité de sirop de fructose-glucose contenue dans un litre de Coca-Cola, en découvrant l'affluence aux buffets à volonté et les invitations permanentes des restaurants à manger à prix sacrifié, j'avais mis le doigt sur la réalité d'une crise en devenir. Car, à Rio Grande City, un quart des enfants de moins de cinq ans sont obèses et près de la moitié de ceux âgés de dix ans, suivant l'exemple

1. *Toxic*, Flammarion, 2007.

de leurs parents, s'affirment comme de sérieux candidats au diabète de type 2.

Je l'avais écrit alors, le *border town*[1] ressemblait à un atroce laboratoire. Où l'on pratiquait une expérience ultime d'abêtissement des règles alimentaires. Certes, dans un combat perdu d'avance, quelques justes tentaient d'alerter l'opinion, de mettre en garde la population et les autorités, voix fluettes prêchant dans le désert et trop peu puissantes pour être entendues d'une société américaine dominée par les géants de l'industrie agroalimentaire.

*

C'était il y a trois ans. Depuis, Rio Grande City, son accent hispanique et son odeur de graillon n'ont cessé de hanter mon esprit.

Si depuis j'ai avancé sur des chemins bien différents[2], il m'est arrivé de revenir sur ces terres familières. Ainsi, en 2007, pour un *Envoyé Spécial*[3] consacré aux acides gras-trans. Mais c'est surtout l'audience rencontrée par *Toxic,* en France et au Québec, ainsi que les courriers et e-mails de lecteurs profondément touchés qui m'ont interpellé.

Ces réactions sont, je crois, simples à expliquer. Avec *Toxic,* j'avais dépassé les frontières aseptisées, froides, neutres du métier de journaliste. Si la méthodologie s'inscrivait dans la logique de mes précédents ouvrages, le propos, lui, s'était nourri de

---

1. Littéralement ville-frontière.
2. *Marilyn, le dernier secret*, Flammarion, 2008.
3. « Acides gras-trans, le risque invisible », enquête de Frédéric Boisset, William Reymond et Luc Hermann, 13 décembre 2007, France 2.

ma chair, de mes doutes comme de mes colères. J'avais en effet écrit ce livre en ancienne victime du système revendiquant son indépendance, en guerrier moderne soucieux du sort de sa descendance mise à mal par l'appât de l'argent. Tout au long de la rédaction de *Toxic*, une vérité m'avait habité : j'étais un père scandalisé. Et le sang qui bouillonnait en moi avait nourri l'encre de mes mots.

Cette sincérité, cette volonté citoyenne de s'engager pour assurer un avenir alimentaire meilleur à nos enfants, je l'ai retrouvée dans les nombreux courriers reçus. Un flux, preuve de la persistance du problème, qui ne faiblit pas.

Dès lors, je n'ai jamais pu oublier les fantômes de Rio Grande City. Et même si j'avais été tenté de le faire, votre élan, vos questionnements m'en auraient empêché.

*

J'ignore lequel d'entre vous, chers correspondants lecteurs, m'a convaincu de la nécessité de replonger dans les maux de notre alimentation et de poursuivre le sillon tracé par *Toxic*.

Peut-être est-ce Jacques, directeur de recherche en Suisse, effaré de découvrir les « causes de la dégradation de la santé publique » ? Peut-être est-ce Madeleine, une jeune Française tiraillée entre le soulagement de savoir et l'inquiétude devant la vérité ? Peut-être plutôt Nathalie, une mère de famille de Montréal décidée à repartir à la conquête des assiettes de ses deux fillettes et désirant savoir comment s'y prendre ? À moins qu'il ne s'agisse d'un des messages reçus d'Italie, des Pays-Bas, de Belgique ou de Corée du Sud, lesquels, malgré les distances, traduisaient tous des angoisses identiques, prouvant ainsi la globalisation du mal ? Pour tout dire, il est impossible de savoir tant c'est assurément chacune de vos lignes qui a contribué à la naissance de ce nouvel opus.

En revanche, je me souviens précisément du *moment* où, pour la première fois, l'idée de reprendre le flambeau porté dans *Toxic* est venue m'effleurer.

C'était sur le plateau de la version québécoise de l'émission *Tout le monde en parle.* Je venais d'expliquer à Guy A. Lepage, son animateur, que la crise mondiale d'obésité, au-delà des kilos en trop, était la face très visible d'un iceberg bien plus dangereux. Et que, sous la surface, dans les sombres profondeurs de l'océan de notre ignorance, là où l'opacité ne laisse plus passer la lumière, se cachait un autre monde redoutablement toxique. Et qui, pour le coup, nous concernait tous.

Tandis que Guy souhaitait en savoir plus, l'évidence venait de me frapper : si l'occasion se présentait, je savais désormais où plonger.

2

Anniversaire

Tout est toujours question de perception...

L'analyse qui s'esquissait dans mon esprit durant l'enregistrement de *Tout le monde en parle* avait de quoi exciter. Là, au détour d'une phrase, je venais de comprendre une raison essentielle de notre échec alimentaire.

Et puisque, aujourd'hui, le constat est identique, autant entamer ce livre avec une révélation douloureuse : depuis au moins deux décennies, sur ce front-là, nous avons entrepris la mauvaise bataille.

Le pire, c'est qu'il faut poursuivre par une autre constatation pénible, encore plus étonnante : José Bové est, indirectement, coupable de cet aveuglement collectif !

Non, je n'ai pas cédé aux sirènes lucratives des géants de l'agroalimentaire ni retourné ma veste. Mais si cette double vérité est osée et – volontairement – provocante, ce n'est pas sans raison. Pour comprendre ma réflexion, saisir les enjeux des combats à venir et s'approprier les outils permettant de vaincre, il faut entreprendre un petit saut dans le temps. Et évoquer un anniversaire...

*

Le 17 septembre 1979, voilà tout juste trente ans, la chaîne américaine McDonald's ouvrait sa première franchise en France. C'était à Strasbourg, avec Michel Ksianzenicer comme précurseur. Un homme qui, comme il aime à le relater, avait l'impression de se retrouver dans la peau « d'un pionnier [1] ».

Il ne se trompait pas puisque, une décennie plus tôt, les rares établissements de la marque *Wimpy* avaient mis la clé sous la porte. Depuis 1961, sous l'impulsion de l'industriel Jacques Borel, la première chaîne de restauration rapide à s'implanter dans l'Hexagone tentait de convaincre les Français que le menu hamburger-frites-Coca avait de l'avenir, mais sans succès. À cause d'établissements mal implantés et sans doute trop en avance sur son temps, l'expérience *Wimpy* dura huit ans et s'acheva en 1969.

Aussi, l'ouverture d'un McDonald's à Strasbourg, dix ans plus tard, exhalait l'authentique saveur d'une première tandis que le public français incarnait les promesses d'une riche terre vierge à conquérir.

---

1. Les grandes compagnies aiment réécrire l'histoire afin qu'elle serve leur légende. Si 1979 est la date « officielle » de l'arrivée de McDonald's en France, en réalité, elle remonte à... 1972. À l'époque, la compagnie qui ne croyait guère au marché français avait laissé les mains libres à Raymond Dayan. Le récit enquêté de cette reprise de contrôle et les raisons de la date escamotée se lisent ici : http://www.superflux.fr/article-10.php.

À en croire les souvenirs de Michel Ksianzenicer, « l'accueil avait été plutôt chaleureux, les réactions des Alsaciens (étant) plus curieuses qu'hostiles [1] ».

Les propos que j'utilise ici proviennent d'un document officiel de McDonald's France intitulé sobrement *Notre histoire* et qui détaille en cinq pages les dates clefs de l'expansion française et mondiale de la marque. Les curieux y découvriront, par exemple, que le premier *drive-in made in France* fut inauguré en 1986 à Mantes-la-Ville ou qu'en 1995 McDonald's reçut le Trophée Environnement Entreprise décerné par le ministère de l'Environnement. Pour autant, plus que les dates liées à l'expansion de la compagnie dans l'Hexagone, c'est un autre point du document qui a attiré mon attention.

Chaque entrée est en effet accompagnée de repères chronologiques citant les événements survenus au même moment. Ainsi, pour l'année 1995, nous apprenons que « la Bibliothèque nationale de France est inaugurée à Paris par François Mitterrand » et que « l'ONU déclare que "les droits des femmes sont partie intégrante et indivisible des droits humains" ».

Je ne vais pas épiloguer sur cette stratégie, vieille comme l'invention de la publicité et de la politique, qui consiste à tenter de redorer son blason en l'associant, indirectement, à des valeurs positives comme les progrès scientifique, culturel ou humaniste. McDonald's n'étant ni la première ni la seule société à le faire, impossible de lui en tenir rigueur. Non, ce qui m'intéresse, c'est la liste des événements mis en avant par la marque pour 1979, date de son arrivée en France.

---

1. *Notre histoire.* Document publié par McDonald's France. Disponible sur le site www.mcdonalds.fr.

On y lit ainsi que « Simone Veil est élue présidente du Parlement européen à Strasbourg », que « Mère Teresa reçoit le Prix Nobel de la Paix » et que « la fusée Ariane est prête à prendre son envol ». Que du positif en somme et aucune mention de la crise de la sidérurgie en Lorraine, du second choc pétrolier, du mitraillage du siège du patronat français par Action directe, de l'assassinat de Pierre Goldman, de la mort de Jacques Mesrine, des débuts de l'affaire Boulin et des diamants de Bokassa impliquant Valéry Giscard d'Estaing, président de la République de l'époque.

Ces oublis, je l'ai dit, n'ont rien d'étonnant [1] mais c'est sur une autre absence que je souhaitais m'étendre.

Alors que, du côté de la place des Halles, à Strasbourg, McDonald's entamait sa conquête de France, d'autres pionniers créaient une expression qui allait bientôt hanter le géant américain.

*

Parfois, les découvreurs portent costume cravate et tailleur Chanel [2]. Parfois même, ils mettent au

1. Dans le même esprit, il faut noter la prépondérance d'événements à connotations féministes dans cette liste. Ainsi, tout porte à croire que le document a été conçu en direction d'un public féminin et plus particulièrement des mères de famille qui sont, généralement, celles qui s'informent sur les produits d'une marque populaire auprès de leurs enfants.

2. Voir *Parlons de médecine,* l'émission de Jean-Paul Escande diffusée le 2 juin 1980 et disponible sur le site de l'I.N.A. : http://boutique.ina.fr/video/economie-et-societe/vie-sociale/CPB80053290/la-mal-bouffe-manger-plaisir-ou-science.fr.html.

jour des vérités essentielles sans saisir forcément l'importance de leur trouvaille. Ainsi Stella et Joël de Rosnay ont-ils été les inventeurs, il y a exactement trente ans, du concept de... malbouffe !

L'ironie de la situation est aussi croustillante qu'une portion de frites. *Au moment même* où McDonald's ouvrait sa première franchise en France, le biologiste et son épouse d'origine anglaise inventaient le néologisme qui, aujourd'hui, définit le fast-food.

Un hasard sidérant que l'on pourrait croire tout droit sorti de l'imagination d'un esprit diabolique.

Pourtant les faits sont là : alors que Michel Ksianzenicer inaugurait son établissement strasbourgeois, les époux de Rosnay publiaient chez Olivier Orban un livre intitulé *La Malbouffe. Comment se nourrir pour mieux vivre* [1].

En 1979, comme le précise Joël de Rosnay, le vocable a été créé « à partir des concepts de malnutrition et de grande bouffe – en référence au film de Marco Ferreri – pour exprimer le paradoxe de notre époque : d'un côté des gens qui meurent de faim faute d'aliments et, de l'autre, des gens qui tombent malades parce qu'ils mangent trop et surtout mal. [Le titre] se voulait humoristique, ironique et constructif [2]. »

Plus étonnant encore, le concept de « malbouffe » créé par Stella et Joël de Rosnay ignore la

1. Stella et Joël de Rosnay, *La Malbouffe. Comment se nourrir pour mieux vivre*, Olivier Orban, 1979.

2. *Le Devoir*, 4 décembre 2005. En plus de cette explication, il faut noter la proximité de ce terme avec son équivalent en langue anglaise, *junk food*, créé sept ans plus tôt par Michael Jacobson, le directeur du American Center for Science in the Public Interest.

menace alimentaire à laquelle il est associé de nos jours. Ainsi, aucune mention directe de l'alimentation de type fast-food dans cet ouvrage mais une critique sensée de l'alimentation quotidienne que les deux auteurs jugent « beaucoup trop riche en graisses et en sucres [...] les risques encourus sont l'hyperglycémie et les maladies cardiovasculaires [1] ». Comme le précise Jean-Paul Escande lorsqu'il les reçoit sur Antenne 2, les époux de Rosnay ne proposent d'ailleurs pas de régime « mais l'autonorme avec un meilleur équilibre des repas (graines-œufs-fromages-aliments à fibres...) qui devrait être enseigné dès l'école [2] ».

Si l'ouvrage préserve l'enseigne à l'arche dorée, c'est donc simplement parce que la restauration rapide à l'américaine est alors une rareté en France. Au-delà de l'expérience strasbourgeoise de 1979, il faudra en effet attendre 1984 avant que McDonald's ouvre, rue Montmartre, son premier établissement de la capitale.

Tout en étant des précurseurs, les de Rosnay concentrent en somme leurs craintes sur la passion française pour la charcuterie, l'excès de viande et un recours trop systématique au sucre et au sel.

Plus intéressant en le lisant aujourd'hui : les deux auteurs condamnent fermement les « produits non-naturels » issus de l'industrie agroalimentaire. Selon de Rosnay, l'une des clés ouvrant la voie au mieux-vivre consiste à « vaincre la résistance des industriels [3] ».

---

1. *Parlons de médecine, op. cit.*
2. *Ibidem.*
3. *Ibidem.*

Vaincre la résistance des industriels... Souvent, les pionniers sont également des visionnaires !

*

Résumons-nous.

En 1979, savoureux hasard, alors que McDonald's inaugure sa première franchise française, Stella et Joël de Rosnay inventent le terme de malbouffe.

Mais l'expression n'évoque pas le fast-food, désignant plutôt les risques liés à la consommation de nourriture industrielle. Compte tenu du peu d'établissements commercialisant des hamburgers, que les auteurs aient un autre centre d'intérêt est logique. La France des années 1970, à l'instar de tous les pays développés, effectue surtout un bond vers la modernité, c'est cela qu'il convient d'ausculter.

Côté alimentation, ce « progrès » se traduit par l'explosion du nombre de supermarchés, lesquels remplacent peu à peu les épiceries et les boutiques spécialisées, ainsi que par une baisse du temps passé à cuisiner et à se nourrir et – surtout – par l'émergence de la production, en masse, de produits issus de l'agroalimentaire.

Car, quand les époux de Rosnay écrivent leur livre, la nourriture industrielle est déjà implantée en France. Depuis une décennie même. Or un homme est alors le symbole détesté de cette « modernisation » de nos assiettes.

3

Napoléon

Le 9 avril 2008, Luc Chatel, secrétaire d'État chargé de l'Industrie et de la Consommation et porte-parole du gouvernement Fillon, remettait la Légion d'honneur à l'industriel français Jacques Borel. Un sacré symbole !

À vrai dire, cette récompense ne surprend guère. Car avant de devenir un spécialiste du lobby pro-restauration à l'échelle européenne [1], Jacques Borel est une success-story à la française.

Né en 1927, diplômé d'HEC, Borel abandonne une carrière prometteuse chez IBM en 1957 afin de se lancer dans la restauration. Mais pas n'importe laquelle. Influencé par les modèles anglais et américain, il souhaite importer en France une nouvelle manière de manger. Son premier établissement,

1. En 1994, il crée Jacques Borel Consultants, société spécialisée dans le lobbying auprès du Parlement européen afin de faire baisser le taux de TVA dans la restauration. La compagnie possède plusieurs filiales en Europe. À ce titre, Jacques Borel préside aujourd'hui le club TVA JB dont il est le fondateur.

installé à proximité des Champs-Élysées, est un restaurant libre-service. Quant à son nom – L'Auberge Express –, il ne laisse planer aucun doute quant aux intentions de l'homme d'affaires. L'idée de Borel est simple : appliquer certaines méthodes industrielles à la restauration. De fait, dans un autre de ses restaurants, les chaussures de ses serveurs sont équipées de podomètres pour mesurer le parcours à suivre le plus efficace de la cuisine à la salle. Une rentabilisation de l'alimentation en somme.

Dans son discours, Luc Chatel a plutôt pris soin de rappeler que l'heureux bénéficiaire de la médaille officielle avait inventé, en 1967, les tickets-restaurant. Inspiré par cette innovation anglaise, le père du « ticket-repas » avait même obtenu du ministre des Finances de l'époque, Michel Debré, et ce après sept années de négociations, une exonération des charges sociales sur cette trouvaille aujourd'hui largement répandue.

Pour autant, ce bout de papier ne doit pas occulter une autre réalité : Jacques Borel est le créateur des restaurants d'autoroute. À l'époque pompidolienne, les quelques aires de repos maillant le territoire étaient équipées de stations-service, parfois de toilettes, mais jamais de lieux où on servait un repas avec entrée, plat et dessert. En inaugurant son premier établissement « Jacques Borel » sur l'A6 au début de l'été 1969, l'industriel bouscule les habitudes : « Ça a été immédiatement un succès [...] jusqu'à 10 clients à la minute, soit 6 000 clients par jour, là où un restaurant avec service à table est limité à 400 couverts [1] », reconnaît-il. Des chiffres

1. *Le Point*, 11/07/2009, www.lepoint.fr/actualites-societe/2009-07-11/il-y-a-40-ans-ouvrait-un-jacques-borel-le-1er-restaurant-d/920/0/360682.

qui doubleront lors des périodes de départ en vacances et après l'ouverture de l'autoroute Paris-Lyon-Marseille l'année suivante. Une véritable révolution surtout.

*

La politique est l'art de l'équilibre.

À un moment, on remet la Légion d'honneur à Jacques Borel ; à un autre, on défend les 80 propositions destinées à lutter contre l'obésité présentées à l'Assemblée nationale.

Un jour, on embrasse le « Napoléon du prêt-à-manger » ; l'autre, on s'alarme du constat que « si rien n'est fait, l'obésité touchera 30 % des Français d'ici à 2020 [1] ».

Car voilà : Jacques Borel n'incarne pas seulement une réussite. Il est aussi, ne lui en déplaise, le père de la malbouffe à la française.

De fait, des décennies avant d'entendre le discours du ministre lui remettant sa médaille, cet homme entreprenant a été un symbole... malgré lui. L'incarnation du pire de la nourriture industrielle, une alimentation sans goût, sans saveurs, sans tenue. Les preuves ? Elles sont multiples. Et pas seulement parce que, dès 1961, ce monsieur a été le cerveau présidant à l'expérience – ratée – de la chaîne de fast-food *Wimpy.*

À la fin des années 1970, au moment même où le terme de malbouffe commence à faire le tour des médias, Jacques Borel est si attaqué et son image si

1. *Le Point*, 30/09/2008, www.lepoint.fr/actualites-societe/2008-09-30/ces-80-propositions-pour-lutter-contre-l-obesite/920/0/278370.

négative qu'il doit rebaptiser les enseignes de ses restaurants autoroutiers.

Même les humoristes s'y mettent. Coluche, dans son sketch *Le Belge,* s'inspire des vers de Jacques Brel sur son célèbre plat pays pour brocarder l'industriel en ces termes : « On s'est arrêté pour manger chez Jacques Borel ; c'est celui qui fait le plat pourri qui est le mien. »

Le ton se fait plus incisif chez Renaud qui, en 1980, chante dans *L'Auto-stoppeuse* :

On s'est arrêté pour bouffer après Moulins
Et Jacques Borel nous a chanté son p'tit refrain
Le plat pourri qui est le sien, j'y ai pas touché
Tiens, c'est pas dur, même le clébard a tout gerbé.

*

Mais c'est au cinéma que les attaques contre le modèle alimentaire proposé par l'industriel se révèlent les plus virulentes. Ainsi, après un film de Gérard Pirès où Claude Brasseur incarne un serveur d'un restaurant autoroutier en proie aux critiques de ses clients [1], c'est Louis de Funès qui sonne la charge derrière la caméra de Claude Zidi. En 1976, il joue en effet Charles Duchemin, critique gastronomique féru de cuisine de qualité, s'opposant à un Tricatel sans morale, dans le mythique *L'Aile ou la cuisse.*

Jacques Tricatel, Jacques Borel... La ressemblance est évidente et même revendiquée par Claude Zidi quand il évoque la naissance du scénario : « Avec des amis, nous avons un jour lancé la conversation sur le guide Michelin et sur la

1. *L'Agression*, 1975.

“malbouffe” qui commençait à sévir, raconte-t-il. Ainsi sont nés Duchemin et Tricatel, amalgame entre Borel, l’inventeur des restoroutes, et Ducatel, candidat farfelu à la présidentielle[1]. »

*

De Coluche à Renaud, de Borel à Tricatel, la malbouffe épinglée par Stella et Joël de Rosnay est donc à l’époque clairement identifiable : la nourriture industrielle.

Hélas ! l’expression va rapidement changer de sens, faussant pour longtemps notre perception du péril.

---

1. *Ciné-Live* n° 48 ; cité sur « Histoires de tournages », http://www.devildead.com/histoiresdetournages/index.php?idart=17.

4

Crise

Vive la crise !

Le cri de soulagement poussé par les géants de l'agroalimentaire au début des années 1980 a dû ressembler à quelque chose de ce genre.

Pourquoi ? Parce que, si la décennie précédente s'est achevée sur une condamnation de plus en plus large de l'alimentation industrielle, la situation économique, elle, change la donne.

D'abord, le paysage alimentaire a évolué. Les supermarchés aux allées et rayons débordant de nourritures préparées et de snacks trop salés sont définitivement entrés dans les mœurs. Le consommateur, qui passe de moins en moins de temps à préparer ses repas, a pris l'habitude d'y acheter, une ou deux fois par semaine, de quoi alimenter les siens. Sans trop regarder le contenu réel de ce qu'il pose dans son chariot.

Une tendance d'autant plus forte qu'entre la modernisation de la société et les contraintes économiques, les femmes ont peu à peu abandonné les fourneaux pour rejoindre la vie active, donc ont eu moins le temps de cuisiner à l'ancienne. Loin de moi ici l'idée de condamner cette marche en avant, mais il faut reconnaître que cette révolution des tâches au sein du couple – qui ne s'est évidemment pas accompagnée d'une implication nouvelle des maris – a ouvert les portes au mal qui nous accable désormais.

Si, à la maison, les réfrigérateurs se sont rapidement remplis de plats tout prêts, au travail aussi l'industrialisation de la nourriture s'est affirmée. L'essor de la restauration collective, au début des années 1980, a contribué à l'intégration rapide de la nourriture industrielle dans l'alimentation. Secouées par la crise et les impératifs économiques, les cantines d'entreprises et scolaires ont peu à peu délaissé les « brigades » de chefs intégrés pour se tourner vers des sociétés proposant un service clé en main à un tarif compétitif. Avec la baisse de qualité qui va avec.

Évidemment, une telle aubaine ne pouvait échapper à... Jacques Borel qui, « avec la création de la Générale de restauration », devint pour près de trente ans « leader sur le marché de la restauration collective[1] ». Un succès d'autant plus aisément acquis que, cette fois, le nom de l'empereur de la malbouffe n'apparaît pas.

Pourquoi ? Parce que – comme certaines sociétés financières ou pharmaceutiques doivent s'y résoudre après un scandale –, les géants de l'agroalimentaire à l'image publique écornée aiment à

1. Citation provenant de l'hebdomadaire professionnel *L'Hôtellerie Restauration*, 17 avril 2008, http://www.lhotellerie-restauration.fr/hotellerie-restauration/articles/2008/3077_17_Avril_2008/Jacques_borel_recoit_la_Legion_d_honneur.htm.

changer de noms et, ainsi, à brouiller les pistes. Des patronymes ou intitulés neutres qui empêchent le consommateur lambda de savoir qui se cache derrière son poulet-frites et contribuent à ne pas l'effrayer.

Au gré des années la Générale de restauration deviendra une filiale d'Accor puis adoptera le nom d'Avenance Restauration[1]. La compagnie est elle-même une enseigne du groupe Elior, géant français de la restauration sous contrat, autrement dit les restaurations collectives et de concession.

*

Elior ?

Je suis certain que la majorité d'entre vous n'a jamais entendu parler de cette marque alors qu'une majorité en a utilisé les services.

Créée en 1991, suite au rachat par Accor de 35 % de la Générale de restauration, cette société en commandite par actions est aujourd'hui implantée dans quatorze pays. Avec un chiffre d'affaires de 3 457 millions d'euros, elle emploie 67 500 salariés. Et détient un portefeuille d'enseignes impressionnant.

On y trouve Avenance, mais aussi Les Repas parisiens, Arpège, Services et Santé et Hôpital Service, marques couvrant le large éventail de la restauration collective qui va des cantines d'entreprises aux plateaux-repas des milieux hospitaliers et scolaires, fort lucratifs.

---

1. À l'origine de ce néologisme, deux mots : « avenir et espérance ».

De fait, profitant de la décentralisation des personnels techniques de l'Éducation nationale initiée le 1er janvier 2005, les industriels de l'alimentation ont peu à peu mis dans leur escarcelle les repas des étudiants, imposant au passage des clauses rappelant celles décrites dans *Toxic* lorsque, aux États-Unis, une marque de sodas désirait s'imposer dans un district scolaire.

Ainsi lorsque Avenance Restauration a obtenu le contrat de la cantine de l'IUFM de Draguignan, elle a précisé par contrat que si « moins de cent repas par jour [étaient] servis, l'activité [ne serait] pas jugée rentable ». Et que l'IUFM devrait « indemniser le manque à gagner [1] ». Résultat ? Au terme de la première année d'exploitation de sa cantine par Avenance, l'IUFM dut « verser une pénalité » de 30 000 euros, qui s'ajouta aux 70 000 euros payés au titre du personnel mis à disposition, soit « l'équivalent du coût de cinq emplois annuels [2] » !

L'exigence de rentabilité imposée par l'apparition d'une entreprise privée dans un établissement d'enseignement public ne manqua pas d'effets surprenants. Ainsi, le règlement intérieur de la cantine a-t-il été modifié afin de satisfaire ce prestataire de service.

Qu'on en juge avec l'article suivant :

Règlement intérieur : nouvel article.

Le service de restauration du centre de Draguignan est assuré par l'entreprise Avenance Restauration avec un contrat d'objectif qui prévoit une fréquentation minimale d'une centaine de repas par jour en

1. Http://www.cuverville.org/article70.html.
2. *Idem.*

deçà de laquelle l'IUFM doit compenser financièrement la sous-fréquentation.

Au cours de l'année 2002-2003, il a été constaté que certains usagers utilisaient les locaux de l'IUFM et apportaient leur propre repas alors que la fréquentation du service restauration était très faible. Il est donc proposé d'inviter tous les usagers à utiliser le service de restauration et de rajouter au règlement intérieur un article ainsi rédigé :

Article 51 : Hygiène et sécurité – règlement sanitaire.

L'IUFM est soumis à la réglementation relative à l'hygiène et à la sécurité dans les établissements recevant du public. En application de cette réglementation, aucune autre forme de restauration que celle agréée par les autorités sanitaires n'est autorisée. En conséquence, les usagers qui souhaitent se restaurer doivent obligatoirement utiliser le service de restauration lorsqu'il est mis à leur disposition.

Il faut apprécier les moyens utilisés pour « inviter » les étudiants à se nourrir exclusivement des produits vendus par Avenance Restauration, le nouveau règlement n'hésitant pas à jouer la carte de la peur. Pire, il sous-entend même qu'apporter sa propre nourriture et négliger celle fournie par le partenaire industriel équivaut à un péril sanitaire ! Rien de moins...

*

Mais passons sur cet exemple « local » pour revenir à Elior et à sa palette d'enseignes.

En plus de la restauration collective, le groupe est présent sur le marché de la concession (Eliance) et des marques de franchise puisqu'il possède Pomme de pain, Quick, Courtepaille, Flo, Paul, Hédiard et Maxim's.

Sans oublier quelques marques pointues comme Le Resto D. ados, le Restaurant des tout-petits, Archipel et, sur les autoroutes, les anciens établissements « Jacques Borel » des années 1970 rebaptisés « L'Arche ».

Enfin – et cela va en étonner plus d'un, à commencer par le regretté Charles Duchemin de Claude Zidi –, Elior est présent derrière certaines tables de prestige. Si le groupe possède le traiteur Honoré James, il gère aussi la plupart des restaurants des musées parisiens comme *Le Grand Louvre* ou *Les Ombres* du musée du quai Branly [1].

La boucle est bouclée, semble-t-il.

*

L'essor d'Elior et de ses confrères en nourriture industrielle a été possible grâce à la crise économique des années 1980. Comme les supermarchés avaient commencé à démocratiser l'achat de plats et d'aliments préparés, ceux-ci se sont généralisés à tous les repas. De quoi affaiblir et changer le sens du mot malbouffe imaginé par les époux de Rosnay.

Un état d'esprit que la dépression d'alors a accentué, rendant acceptable aux yeux de beaucoup une nourriture rejetée dans les années 1970.

Pourquoi ? Parce que, comme le démontrent de nombreuses études, en période de difficultés écono-

1. Présents également au portefeuille prestige d'Elior, *Le Ciel de Paris* au sommet de la tour Montparnasse, *La Maison de l'Amérique latine*, le *Restaurant du Musée d'Orsay* et le *Jules Verne*, restaurant de la tour Eiffel.

miques le consommateur se rabat sur des aliments susceptibles de le réconforter. La nourriture industrielle, avec ses surplus de graisse, de sucre, de sel et additifs chimiques est le remède parfait à la morosité. Et comme elle est accessible à toutes les bourses, c'est la solution facile. Alors que les taux de chômage des pays industrialisés battent des records, que les pouvoirs d'achat sont en berne, la nourriture industrielle incarne une alternative acceptable, une solution de repli.

*

Un phénomène d'autant plus fort que, au milieu des années 1980, le néologisme de « malbouffe » va peu à peu désigner un autre péril alimentaire.

De l'huile frelatée au poulet à la dioxine, de la viande aux hormones à la fièvre aphteuse, on utilise en effet le terme malbouffe pour désigner non un problème qualitatif mais un défaut dans l'hygiène de la filière alimentaire.

En 1989, dix ans précisément après la publication du livre de Stella et Joël de Rosnay, la malbouffe fait la une de l'actualité mondiale. Non pour signaler une nouvelle idée du Napoléon du prêt-à-manger mais pour révéler les dangers de la crise de la vache folle qui frappe alors la Grande-Bretagne [1].

Et il faudra attendre encore une décennie pour que, du côté de Millau, l'expression poursuive sa mutation sémantique.

---

1. En 1989, la France interdit l'importation de farines animales britanniques destinées aux ruminants. La même année, le gouvernement britannique interdit la consommation de certains abats comme la cervelle, et la communauté européenne limite l'exportation de vaches anglaises.

5

Roquefort

Durant l'été 1999, un vent de révolte souffle sur l'Aveyron.

Quelques semaines plus tôt, pour punir l'Europe qui refuse l'exportation de bœuf américain dopé aux hormones, les États-Unis décident de surtaxer de 100 % les droits de douanes du roquefort [1].

L'attaque n'est pas seulement symbolique, puisque, à l'époque, le marché américain représente plus de 10 % des exportations de cette spécialité

1. Le roquefort n'était pas le seul produit visé. Le foie gras, certains chocolats, des céréales et la moutarde de Dijon complétaient la liste côté français. En janvier 2009, toujours dans le cadre du refus de l'importation du bœuf aux hormones, le gouvernement américain s'apprêtait à mettre en place des droits de douanes de 300 % sur le roquefort. En mai de la même année, à quelques jours de leur application, l'Union européenne et les États-Unis trouvaient un accord. En échange de l'augmentation du quota d'importation de bœuf américain non traité, le gouvernement américain abandonnait toute idée de surtaxation des produits européens, dont le roquefort. Http://www.liberation.fr/economie/0101565845-le-roquefort-ne-sera-pas-surtaxe-aux-etats-unis.

fromagère du sud de l'Aveyron. Quatre cents tonnes de fromage qui, en raison d'un prix de vente devenu exorbitant, risquent de fermenter dans des entrepôts plutôt que de terminer dans les assiettes des consommateurs d'outre-Atlantique. Il s'agit donc d'un manque à gagner sévère pour les petits producteurs de la région.

Aussi, au début du mois d'août, du côté de Millau, les esprits s'échauffent et envisagent des mesures de rétorsion contre les États-Unis. Sans surprise, la première action du genre vise Coca-Cola [1] : un cafetier de la ville surtaxe la vente de la boisson dans son établissement.

Et puisque la guerre contre l'Amérique se joue symbole contre symbole, José Bové et ses compagnons du syndicat de la Confédération paysanne décident de frapper fort.

Le 12 août 1999, une poignée de militants menés par le paysan moustachu s'attaquent au démontage d'un McDonald's alors en construction à Millau. « Sous les yeux médusés du propriétaire Marc Dehani, raconte le quotidien *La Dépêche,* l'inscription *McDo defora, gardarem roquefort* (McDo dehors, nous garderons le roquefort) est peinte sur le toit du fast-food tandis que des matériaux du chantier sont convoyés sur un tracteur vers la sous-préfecture [2]. »

---

1. Sans surprise parce que, partout dans le monde depuis la Seconde Guerre mondiale, le sort de Coca-Cola est dépendant de l'image donnée par la politique américaine. Voir du même auteur *Coca-Cola, l'enquête interdite*, Flammarion, 2006.

2. *La Dépêche,* 10/08/2009, www.ladepeche.fr/article/2009/08/10/652168-Dix-ans-de-combats-contre-la-malbouffe.html.

En plein été, période où, traditionnellement, l'actualité tourne au ralenti, le coup de poing attire l'attention des médias. Et lorsque la juge d'instruction Nathalie Marty ordonne l'arrestation du responsable de la Confédération paysanne, José Bové, et de ses compagnons, l'affaire prend de l'ampleur. Cette décision, comme le note encore *La Dépêche*, « raviva l'esprit combatif de ceux qui connurent le mouvement contre l'extension du camp militaire du Larzac dans les années 1970 [et offrit] à la Confédération paysanne de passer du statut d'une organisation ringarde à celui de celle qui défend des traditions ancrées dans un terroir [1] ».

Mais, surtout, elle propulse José Bové au centre d'un combat encore peu répandu que lui-même mène, avec une certaine discrétion, depuis quelques années : la bataille contre la... malbouffe.

Le 12 août 1999, vingt ans après sa création, la perception collective du terme inventé par les de Rosnay entrait donc dans sa troisième phase.

*

La malbouffe selon José Bové ne correspond ni à celle des années 1970 ni à celle décrite en 1989 lors de la crise de la vache folle.

Le concept cher au représentant de la Confédération paysanne mêle deux refus : celui de la nourriture de mauvaise qualité et celui d'une mondialisation qui se résumerait à une domination américaine. Ces deux pendants sont si liés dans le discours de José Bové que certains de ses détracteurs lui reprochent d'utiliser la malbouffe comme

1. *Idem.*

prétexte pour légitimer son propre refus de la mondialisation. Plus tard, viendra se greffer sur ce diptyque la légitime question de la présence d'OGM dans l'alimentation, donnant une dimension supplémentaire à la définition du mot malbouffe.

Mais revenons au sens qu'avait ce terme au lendemain du démontage du McDonald's de Millau et lors de la publication, un an plus tard, du premier livre publié par José Bové [1].

S'appuyant sur une dialectique que l'on retrouvera durant l'hiver 1999 à Seattle – lorsque des milliers de représentants du mouvement altermondialiste s'opposeront à la troisième conférence ministérielle des cent trente-trois pays membres de l'Organisation mondiale du commerce –, la malbouffe selon José Bové induit que la domination américaine est incarnée par la restauration rapide.

À ce titre, McDonald's – dont rien ne semble freiner l'expansion mondiale – constitue une cible parfaite [2]. En effet, depuis l'inauguration de sa première franchise à Strasbourg, en 1979, le géant américain n'a cessé de multiplier les ouvertures en France. Avec un peu plus de quatre cents établissements dans l'Hexagone, le chiffre d'affaires annuel de la marque a même franchi le seuil symbolique des dix milliards de francs.

Le démontage de Millau constitue donc une étape importante. Il offre au message de Bové – et

1. José Bové et François Dufour, *Le Monde n'est pas une marchandise : Des paysans contre la malbouffe*, La Découverte, 2000.

2. Une stratégie qui rappelle celle du parti communiste dans la France de l'après-guerre, faisant de la lutte contre Coca-Cola le moyen le plus efficace de s'opposer au plan Marshall et – déjà – à la domination américaine. Voir *Coca-Cola, l'enquête interdite, op. cit.*

à sa définition de la malbouffe –, une caisse de résonance internationale. Désormais, l'ennemi de nos estomacs, de notre santé, de notre économie, de notre identité et, d'une certaine manière, de notre avenir porte un nom simple et débite, à la chaîne, des hamburgers arrosés de Coca-Cola.

*

À la veille de l'an 2000, alors qu'une partie de la planète hésite entre peur du lendemain et nostalgie du temps passé, le discours de l'agriculteur français se répand donc comme une traînée de poudre [1].

Et la vision altermondialiste de la malbouffe s'impose comme la vérité dominante [2]. Désormais, vingt ans après son invention, le terme de Joël de Rosnay regroupe presque exclusivement les produits issus de la restauration rapide.

Ce qui va, pendant une décennie, fausser le débat consacré aux périls de l'alimentation.

---

1. En août 2009, Éric Gravier, l'un des vice-présidents de la filiale française de McDonald's, reconnaissait que seuls deux événements « avaient bousculé » la marche en avant de la marque en France : « la crise de la vache folle et José Bové ». On remarquera qu'Éric Gravier ne cite ni la concurrence assez amorphe sur le secteur ni la vague d'attentats en 2000 qui frappa l'enseigne en Bretagne. À noter que celui de Quévert coûta la vie à une employée. *Le Républicain lorrain*, 30/08/2009, www.republicainlorrain.fr/fr/permalien/article.html ?iurwcb=1921705.

2. On la retrouve ainsi jusqu'aux États-Unis où elle est à l'origine, par exemple, du documentaire *Super Size Me* de Morgan Spurlock.

6

Système

Le temps du changement est aujourd'hui venu.

Trente ans après la création du néologisme malbouffe, trente ans après l'apparition du premier McDonald's en France et dix ans après le démontage de Millau, il convient de regarder la vérité en face.

Et admettre l'immensité de notre échec.

*

Car la malbouffe, expression à tiroirs, est désormais un concept caduc, un terme dont le sens évolue au gré des agendas politiques et des inquiétudes populaires. Un combat – hélas ! – perdu.

Qu'on en juge. En 2009, alors que nos sociétés sont traversées par une nouvelle crise économique, McDonald's affiche des résultats débordants de santé.

En France même, territoire de José Bové, le nombre d'établissements du géant américain a presque triplé en dix ans. McDonald's possède aujourd'hui 1 134 franchises réparties sur 859 communes. Force est de l'admettre, le pionnier de Strasbourg avait vu juste.

Chaque jour, dans l'Hexagone, terre fétiche de la gastronomie et de l'art de vivre, un million de nos concitoyens engouffrent le menu hamburger-frites-Coca.

Pire, la tendance est à la hausse : + 11 % en 2008 avec 3,3 milliards d'euros de chiffre d'affaires. Et certainement autant en 2009.

Mais il y a mieux – ou pire selon le point de vue.

Depuis l'épisode du démontage de Millau, la France s'est transformée en marché juteux pour le géant américain. Tandis que, dans son pays d'origine, là où la fréquentation est la plus large, le client moyen consomme pour trois euros de nourriture estampillée du plus célèbre logo de la planète, le Français fait mieux. Beaucoup mieux même.

Ainsi, avec une addition moyenne plus de trois fois supérieure à celle du consommateur américain, un ticket atteignant les dix euros par visiteur, la France occupe... la première place mondiale de la rentabilité par client.

Non, il ne s'agit pas d'une erreur : nous occupons bel et bien la plus haute marche du podium McDonald's ! Devant les Américains !

Comme l'explique avec pragmatisme Éric Gravier, l'un des vice-présidents de la filiale hexagonale : « Les Français viennent moins chez nous que dans d'autres pays, mais ils consomment beaucoup à chaque visite [1]. »

1. *Idem.*

Si, dix ans après le coup de gueule de José Bové et la redéfinition du terme malbouffe, on ne considère pas cette réalité comme un échec majeur, il reste une dernière information hallucinante pour convaincre les sceptiques.

La France est pour McDonald's, aujourd'hui, le deuxième pays le plus rentable au monde !

Une vérité aussi corsée qu'un bon morceau de roquefort qu'il ne sert à rien d'ignorer : en trente ans, malgré José Bové, nous nous sommes transformés en vache à lait du géant américain de la restauration rapide.

*

Le temps du changement est venu.

Aujourd'hui, notre échec ne se mesure pas uniquement à l'aune du triomphe hexagonal de McDonald's. Il prend d'autres visages tout aussi inquiétants.

Désormais, le temps moyen passé chaque jour par une famille française pour préparer le repas flirte dangereusement avec le seuil des trente minutes. Soit beaucoup moins qu'avant ! Une tendance mondiale puisque, au Québec, ce temps est encore plus faible.

Désormais, 43 % de la population française est en surpoids. Avec près de 8 millions de cas, plus de 10 % de la France est obèse. Pire, l'obésité infantile ne cesse de croître à un rythme inquiétant, proche de celui constaté aux États-Unis. Avec un taux doublant tous les dix ans, nous n'aurons bientôt rien à envier au mal qui gangrène le continent nord-américain.

Faut-il poursuivre ?

En 2009, en France, un adulte sur cinq est victime du cholestérol et dix millions de personnes souffrent d'hypertension. On compte aussi 2 millions de diabétiques – dont 8 000 sont, chaque année, amputés d'un membre –, un demi-million de cardiaques dont 170 000 décèdent de complications liées à leur état. Sans oublier, afin de conclure ce terrible état des lieux, qui vaut aussi pour la Belgique, l'Allemagne, les Pays-Bas, l'Espagne, le Canada, la Grande-Bretagne, les innombrables personnes atteintes de cancers directement liés à l'alimentation.

*

Le temps du changement est venu.

Et, avec lui, la nécessité de revoir la définition du mal qui nous ronge.

Oui, McDonald's, Coca-Cola et consorts détiennent une part de responsabilité dans le développement de la pandémie d'obésité. Un rôle qui, malgré les discours rassurants des dirigeants de ces compagnies, n'est pas prêt de diminuer.

Oui, comme l'ont fait José Bové et d'autres, il fallait révéler publiquement les dangers de ce mode de consommation – et il faut continuer à le faire –, tant les périls encourus sont sanitaires et culturels.

Mais, en braquant les projecteurs de l'opinion, des médias et des consciences sur cet unique aspect de la crise, les nouveaux chiens de garde de la malbouffe nous ont involontairement aveuglés.

Car la malbouffe conceptualisée par Bové au lendemain de Millau n'est pas, à elle seule, responsable de nos santés déclinantes.

Le véritable coupable est ailleurs.

Différents indices le prouvent.

Lors de chacune de mes rencontres avec des victimes de la pandémie, qu'elles soient obèses ou atteintes d'un cancer du côlon, françaises ou américaines, mon constat fut identique : l'essentiel de l'alimentation de ces personnes ne provenait pas des enseignes de restauration rapide. Mieux – si je puis dire –, certains lecteurs touchés voient dans les maux les affectant une sorte d'injustice divine puisqu'ils ont depuis longtemps boycotté tout ce qui ressemble à un hamburger.

À tous, ma réponse a été identique : le véritable coupable est ailleurs.

Un coupable aussi obèse que ses victimes. Dont le surpoids se mesure en euros. Qui, en France, avec un chiffre d'affaires de 163 milliards d'euros, pèse deux fois plus que le secteur automobile et quatre fois plus que l'industrie pharmaceutique. Et qui, trente ans après la publication du livre de Stella et Joël de Rosnay, a conquis nos assiettes tandis que nous nous battions contre d'autres moulins à vent.

C'est l'industrie agroalimentaire.

Un monde qui, désormais, représente 80 % de notre alimentation.

*

Le temps du changement est venu.

Ce saut vers le passé en quête de l'origine des différents sens d'une expression médiatique était nécessaire.

En concentrant notre attention sur les risques hygiéniques de l'alimentation moderne puis sur le péril représenté par la restauration rapide, nous avons oublié les mises en garde initiales – et pourtant avisées – de Stella et Joël de Rosnay.

Au fil du temps, le concept de malbouffe a perdu de son sens pour devenir un terme fourre-tout qui, finalement, ne met plus en garde contre les vrais dangers auxquels nous devons faire face.

Aussi, trente ans après, pour décrire l'ampleur du péril, mieux vaut créer une nouvelle expression.

*

En 2004, Kelly Brownell, directeur du Rudd Center for Food Policy and Obesity à Yale et expert reconnu mondialement, publiait un ouvrage intitulé *Food Fight : The Inside Story of the Food Industry.*

Son livre, visant à découvrir les causes de la pandémie d'obésité, racontait un système où, finalement, le consommateur se retrouvait seul face à une alimentation industrielle de mauvaise qualité, qui plus est trop riche en calories, en graisse et en sel. Une offre disponible partout, peu chère et soutenue par un battage publicitaire permanent. S'ajoutant à d'autres facteurs environnementaux tels que la sédentarisation de nos modes de vie, l'augmentation de la taille des portions, les investissements colossaux en marketing et l'infiltration des écoles par les géants de l'agroalimentaire, cette nouvelle forme de malbouffe, bien plus vaste et complexe, se retrouvait selon lui à l'origine de nos maux.

Après le temps de la junk food et du fast-food, après de Rosnay et Bové, Brownell venait de mettre le doigt sur un nouveau péril.

Son nom ?

La *toxic food.*

7

Responsabilité

Toxic food.

L'analyse de Kelly Brownell rejoint les conclusions de mon enquête sur la pandémie mondiale d'obésité, exposées dans *Toxic.*

Depuis trente ans, de conseils de régime en messages gouvernementaux, une seule idée a été martelée : nous sommes les uniques responsables de nos choix alimentaires et, par extension, les uniques coupables de la situation sanitaire actuelle.

Bien sûr l'expression « Nous sommes ce que nous mangeons » est juste. Mais, précisément, connaissons-nous vraiment les aliments qui garnissent chaque jour nos assiettes ? Disposons-nous réellement d'un libre arbitre pour les choisir ?

Évidemment non. Dans *Toxic,* j'ai énuméré tous les moyens, notamment publicitaires, utilisés par l'agroalimentaire pour influencer nos décisions, contourner notre raison, et nous inciter à choisir des produits qui, s'ils possèdent une forte plus-value, sont mauvais pour la santé.

J'ai raconté comment, jouant avec des réflexes et habitudes inscrits dans notre ADN, les géants de la nourriture industrielle modifient leurs recettes pour satisfaire des instincts primaires contre lesquels il est impossible de lutter.

J'ai démontré comment ces mêmes compagnies investissent dans la recherche neurologique afin de mieux comprendre les mécanismes du cerveau et, à terme, prendre à revers ses défenses pour imposer leurs plats et produits.

J'ai dit également combien, à titre personnel, les centaines d'heures passées dans un club de sport n'avaient pu effacer les kilos gagnés pour cause d'installation aux États-Unis. Un échec d'autant plus incompréhensible qu'il était – je le croyais alors – accompagné d'un mode alimentaire sain. Ou, pour être plus précis, et conforme à la définition de la malbouffe chère à José Bové, un mode alimentaire dépourvu de la moindre visite dans les établissements de restauration rapide.

C'est la nécessité de comprendre ce décalage, ce hiatus même, qui m'avait poussé à ausculter le contenu de nos assiettes, à partir à la poursuite des ingrédients comme le sirop de fructose-glucose ou l'huile partiellement hydrogénée qui, à notre insu, sont ajoutés à la nourriture.

Au terme de cette première plongée dans le grand bain de la mauvaise bouffe, j'étais ressorti avec une certitude : depuis trente ans, nous étions victimes d'un gigantesque mensonge.

Les kilos en trop, la pandémie d'obésité, les amputations suite à une crise de diabète, les « cancers de l'alimentation », les taux de cholestérol explosifs et les problèmes cardiaques démultipliés ne sont pas de notre responsabilité mais des effets dévastateurs du système économique qui produit notre nourriture. Ou, comme l'aurait écrit Kelly Brownell, la toxic food.

*

Mais *Toxic* a effleuré la surface. Comme je l'avais perçu sur le plateau québécois de *Tout le monde en parle,* il convenait d'aller au-delà, de pousser la réflexion plus loin, d'enquêter plus avant.

Durant la promotion de l'ouvrage, je n'ai eu de cesse de répéter que la pandémie d'obésité était la partie visible de l'iceberg. Mais, inlassablement, les mêmes remarques et conclusions émergeaient. Toutes construites à l'aune de la définition restrictive de la malbouffe, telle que théorisée par le mouvement altermondialiste.

Or notre perception était incorrecte.

Car le problème se révèle bien plus vaste, le mal beaucoup plus insidieux.

Il fallait, en somme, remettre le couvert.

Et, entre manifeste, enquête et exploration, commencer là où la toxic food a vu le jour.

8

Lame

Les États-Unis venaient de changer.

Huit années de mandat George W. Bush, une économie en lambeaux et une guerre sans fin avaient convaincu les Américains de la nécessité de rejeter les idéaux du parti républicain. Barack Obama était entré à la Maison-Blanche crédité de l'aura d'un nouveau messie. Ce qui tombait à merveille, puisque le pays n'attendait rien de moins qu'un miracle.

*

Le programme du démocrate s'était articulé autour de deux concepts bien ancrés dans le rêve américain : le changement mais aussi l'espoir.

La promesse de lendemains qui chantent sont depuis toujours l'apanage du candidat en campagne. Obama, histoire de se démarquer de son adversaire, avait annoncé que le futur de l'Amérique passerait par une couverture sociale dévolue à chaque citoyen. Une vraie révolution.

Car il faut savoir que, quand il s'agit de remboursement des soins médicaux et malgré leur image de modernité, les États-Unis ont un siècle de retard sur l'Europe et le Canada. Un conservatisme qui crée une vraie fracture sociale entre ceux – la minorité – bénéficiant d'une assurance privée prenant en charge une partie des très onéreux frais médicaux et les autres, incapables de régler ne serait-ce qu'une visite chez le dentiste ou chez un médecin de famille... tant la moindre intervention exige une fortune.

Obama, lui, s'était engagé ; il deviendrait le premier Président à réussir là où Bill Clinton avait échoué : offrir à la totalité des Américains le droit à la santé.

*

L'adage l'affirme, l'enfer est pavé de bonnes intentions.

Cette vérité de Samuel Johnson [1] n'a jamais eu autant de portée que depuis que Barack Obama s'est engagé sur la voie de la réforme. Il n'imaginait sans doute pas combien sa volonté de tenir cette promesse majeure lui attirerait d'ennemis.

Le démocrate doit d'abord affronter l'opposition de puissants lobbies. Parmi eux, ceux de l'industrie pharmaceutique qui se permet de vendre aux États-Unis le même produit qu'en Europe jusqu'à dix fois plus cher. Aussi, les grands laboratoires, craignant que le plan proposé par le Président incite à un recours plus fréquent aux médicaments génériques,

1. Http://www.evene.fr/celebre/biographie/samuel-johnson-433.php.

moins coûteux, agissent en coulisses afin de torpiller le projet.

Il y a ensuite les représentants des compagnies d'assurances, inquiètes de la disparition d'un véritable filon puisqu'elles disposent du terrible pouvoir de déterminer seules de la prise en charge ou non d'un soin. Si, en France, c'est le médecin qui est décisionnaire et oblige la Sécurité sociale à payer dès lors qu'il s'agit d'un acte réglementé, aux États-Unis, la décision de rembourser n'est pas formalisée aussi précisément mais soumise au bon vouloir de sociétés privées. Inutile de décrire tous les refus et dérives que cela implique.

Pour compliquer la tâche présidentielle, ces lobbies comptent parmi leurs alliés un nombre conséquent d'élus des deux partis. Des démocrates et républicains sensibles à un argument massue : l'importance des moyens financiers pouvant servir à leurs futures campagnes. Des subsides et aides qui proviennent souvent des secteurs visés indirectement par la réforme. Dès lors, ce n'est plus le bien commun qui prédomine mais des intérêts particuliers. Dès lors encore, les étiquettes politiques ne veulent plus dire grand-chose. Un démocrate peut être tenté – poussé – à refuser d'accorder son vote à la volonté d'un Président lui-même démocrate. Les lobbies l'ont bien compris, recrutant large, afin d'empêcher la Maison-Blanche de trouver une majorité au Congrès et au Sénat.

Enfin, comme à chaque période où le *statu quo* est menacé, Barack Obama a vu se dresser contre lui la machine à tuer[1] des ultra-conservateurs américains. Des écrans de Fox News aux ondes

1. Voir William Reymond, *Bush Land*, Flammarion, 2004.

radio de Rush Limbaugh, cette nauséabonde caisse de résonance tente de convaincre le pays que toute visite remboursée chez le dentiste constitue un premier pas vers un régime communiste totalitaire ! Et que le Président est l'incarnation moderne et dangereuse du petit père des peuples.

*

En réalité, les prédictions apocalyptiques d'une Sarah Palin [1] et les simagrées des extrémistes perturbant les débats publics en assimilant Obama à Hitler – on a vu des pancartes affichant des slogans de ce genre – étaient prévisibles. Chaque tentative de réforme de l'assurance sociale *made in USA* s'est heurtée aux mêmes tactiques.

La différence cette fois-ci tient au fait que Barack Obama était persuadé de pouvoir franchir les obstacles. Il savait que le labeur serait rude mais, avec le pragmatisme qui a caractérisé sa campagne présidentielle, le Président et ses conseillers suivent en fait une stratégie longuement mûrie afin de contourner les quelques pièges tendus par leurs opposants. Du reste, le camp républicain n'est pas dupe non plus : il n'ignore pas que la Maison-Blanche parviendra vraisemblablement à imposer aux récalcitrants la nécessité d'une véritable assurance sociale.

Reste qu'il convient de ne pas s'y méprendre : *in fine* le projet présidentiel ne ressemblera que de loin

1. Selon l'ancien gouverneur de l'Alaska, le plan Obama s'accompagnera de la création de « tribunaux de la mort » où des fonctionnaires décideront qui, des personnes âgées aux enfants handicapés, bénéficiera des soins nécessaires !

à celui ébauché au long de la campagne. Et si Obama a dû revoir ses ambitions à la baisse, ce n'est ni à cause de la stratégie de la terre brûlée du parti républicain, ni sous la contrainte du pouvoir financier des lobbies.

Non, si le président démocrate a dû changer son fusil d'épaule, c'est parce que en cours de route, sa volonté d'ouvrir la voie à une Amérique plus juste s'est heurtée à un obstacle que même la plus élaborée des tactiques n'a pu négliger. Une difficulté si massive qu'elle contraint la Maison-Blanche à s'adapter au « principe de la réalité ». Et c'est ainsi qu'au milieu du mois de juillet 2009, dans le silence feutré de l'été, les illusions de Barack Obama ont été emportées par une véritable lame de fond.

9
Titanic

Les États-Unis changeaient.

La preuve ? Bill Clinton se faisait le chevalier blanc de la lutte contre l'obésité.

Sans douter de la sincérité de l'engagement de l'ex-Président, force est de constater le saisissant contraste entre ses propos actuels et son mode de vie passé. Durant ses huit ans à la Maison-Blanche, Clinton a incarné à lui seul le régime alimentaire américain qu'aujourd'hui il dénonce. À Washington, il a non seulement assumé son obsession pour les chips, sa passion pour les menus hamburgers-frites de McDonald's et son appétit pour les pizzas [1], mais, d'une certaine manière, légitimé par cette attitude les mauvais choix diététiques de son pays. Parce que, en désirant prouver à ses concitoyens qu'il était un Américain comme les autres, en assumant ouvertement une alimentation saturée en graisse, sucre et sel, il a renoncé au rôle d'exemple à suivre qui incombe à sa fonction.

---

1. Voir *Toxic, op.cit.*

Aussi, le voir aujourd'hui se présenter en porte-drapeau d'un régime alimentaire équilibré ne manque pas de piquant.

*

La conversion de Bill Clinton à la nécessité de lutter contre l'obésité, et plus particulièrement celle touchant les enfants, remonte à la fin de sa présidence et à son retour – provisoire – en Arkansas, l'État dont il est originaire et dont il fut gouverneur.

Cette année-là, en 2001, les services sociaux de l'Arkansas publient une étude qui le fait frémir. Et montre que, tandis qu'il détenait le pouvoir et s'amusait à prétendre que sa passion du fast-food avait conduit sa fille à croire qu'il travaillait dans un établissement de ce genre, le mal avait... grossi. Entre 1991 et 2000, le taux d'obésité en Arkansas avait en effet augmenté de 77 %. Comme dans la plupart des États du Sud, plus d'un adulte sur deux se trouvait en surpoids. Et, plus grave encore, alors que plus d'un tiers des habitants étaient désormais obèses, le mal promettait d'être plus répandu encore dans la génération suivante.

L'Arkansas et ses 40 % d'enfants en difficulté pondérale sont donc le premier élément conduisant à la « révélation » de Clinton.

L'autre, c'est ni plus ni moins sa santé.

En septembre 2004, l'ancien Président doit arrêter précipitamment toute activité de soutien à la campagne présidentielle de John Kerry. À cause d'un état cardiaque préoccupant, il subit une intervention à cœur ouvert. Ses artères, bouchées par le cholestérol, paient le prix d'années d'excès diététiques. Si, grâce à un quadruple pontage coronarien, il échappe de justesse à une crise cardiaque majeure, la chirurgie et les traitements ont néanmoins des limites. Et les médecins lui assènent la vérité : pour vivre longtemps et bien, Bill Clinton doit changer de mode de vie, modifier ses habitudes alimentaires et pratiquer une activité sportive régulière.

*

Il convient de garder en tête ces éléments pour comprendre la passion qui habite Bill Clinton, le 27 juillet 2009, quand il ouvre la conférence Weight of the Nation [1] à Washington.

Durant trois jours, aux portes du Congrès et sous l'égide du Center for Disease Control Prevention (CDC), les plus grands spécialistes du pays dressent l'état des lieux de la pandémie d'obésité qui frappe les États-Unis depuis plus de vingt ans.

Les différents nutritionnistes et travailleurs sociaux qui constituent l'essentiel du public ont été invités à pratiquer, dès 6 h 30 du matin, une heure de gymnastique, histoire de prouver à tous combien l'Amérique est prête à se lever tôt et à ne ménager aucun effort pour renverser la vapeur.

Or, précisément, des efforts, le pays va devoir en fournir – et de taille – pour affronter le mal qui menace. Avant que Clinton ne monte sur scène, la transcription du discours de Kathleen Sebelius a été donnée à la presse. En quelques lignes, la secrétaire d'État à la Santé du nouveau gouvernement Obama dresse un bilan terrible de la situation : « Deux tiers des Américains en âge adulte et un enfant sur cinq

1. Littéralement Le poids de la Nation. Voir http://www.weightofthenation.org.

sont soit obèses soit en surcharge pondérale, assène-t-elle. Nous savons comment l'obésité augmente les risques de maladies cardiaques, de certains cancers et d'attaques. Nous savons également que l'obésité est un symptôme précurseur essentiel du diabète[1]. » L'ampleur du fléau n'est pourtant une surprise pour personne dans cette conférence d'experts inquiets. Année après année, statistique après statique, le CDC et les services sociaux des cinquante États dessinent l'image d'une Amérique au bord de l'explosion pondérale[2]. Non, le véritable choc réside dans l'annonce des conséquences économiques de la pandémie : « Le coût de l'obésité pour notre système de santé s'élève annuellement à 147 milliards de dollars. Un chiffre qui a presque doublé depuis le calcul du CDC en 1998. Afin de le mettre en perspective, l'American Cancer Society estime que le coût annuel de l'ensemble des cancers s'élève à 93 milliards de dollars. Ainsi, mettre fin à l'obésité ferait économiser à notre système de santé cinquante fois plus que de soigner le cancer[3]. »

Alors qu'à quelques kilomètres de l'hôtel Omni Shoreham, où se déroule la conférence, Barack Obama bataille au Congrès et au Sénat pour faire passer son plan, ces chiffres faramineux sont sur toutes les lèvres. Jusqu'à Bill Clinton qui délaisse l'espace d'un instant la liste des initiatives lancées sur le sujet par sa fondation Alliance for a Healthier

1. Http://www.hhs.gov/news/press/2009pres/07/2009072 8a.html.

2. Selon les déclarations de Thomas Frieden, directeur du CDC, cela signifie 72 millions d'Américains en surpoids, un excédent collectif de poids équivalant à un million huit cent mille tonnes.

3. *Idem.*

Generation et revient sur l'enjeu colossal que ces données soulèvent : « Tandis que les coûts médicaux liés à l'obésité continuent d'exploser [...], nous devons développer des solutions innovantes pour combattre cette épidémie. L'objectif est d'essayer de modifier la course du *Titanic* avant qu'il ne heurte un iceberg[1]. »

*

Par cette image efficace, Bill Clinton a parfaitement résumé l'épreuve qui attend Obama et qui, *in fine*, lame de fond inévitable, le contraindra à revoir ses ambitions sociales à la baisse.

Car, comme le souligne Eric Finkelstein[2], auteur principal du rapport dont les résultats furent repris par Kathleen Sebelius et l'ancien Président : « L'obésité est la principale source d'augmentation des dépenses de santé. Si le gouvernement veut contrôler ces dépenses, il faudra trouver un moyen de s'assurer que les Américains se mettent au régime, fassent du sport et choisissent collectivement un mode de vie plus sain. Sinon, nous irons droit à la catastrophe, car quelqu'un devra bien payer pour le coût exponentiel lié aux maladies de l'obésité[3]. »

Et ce futur payeur, plan Obama ou pas, n'est pas difficile à trouver. D'après les chiffres de Finkelstein, en 2008 déjà, la moitié des 147 milliards de dollars dépensés pour traiter les malades du surpoids a été

1. Http://www.healthiergeneration.org/media.aspx?id =3535.
2. Voir *Toxic, op. cit.*
3. Conférence de presse, Weight of the Nation, Washington, 27 juillet 2009.

prise dans la poche... du contribuable. Pourquoi ? Parce que les maladies liées à l'obésité apparaissent tard dans la vie, donc quand le patient n'est plus pris en charge par une assurance privée mais se trouve sous le régime des retraites.

*

Oublions un instant la situation américaine particulièrement dramatique et essayons de voir ce que cette pandémie aura comme répercussions en Europe et au Canada, pays où le système social est plus élaboré et développé qu'au États-Unis.

Eh bien, à mesure que nous adoptons le mode alimentaire américain, nous entrons à notre tour dans une spirale infernale. Plus l'industrie agroalimentaire prend le contrôle de nos assiettes, plus l'obésité s'installe dans toutes les catégories sociales, plus les maladies liées à l'épidémie, comme le diabète de type 2, vont grimper. Ainsi que le coût de leurs traitements à long terme. Alors, si un système de santé comme celui des États-Unis est quasi au bord de l'implosion en 2009 à cause de l'obésité, je vous laisse imaginer dans quel état seront les nôtres, autrement plus répandus, perfectionnés et complexes.

En déclarant que l'obésité, au même titre que le sida, la peste noire ou la grippe espagnole, relève de la pandémie, l'OMS a d'ailleurs ouvertement mis en garde nos sociétés. Car une pandémie n'a pas seulement des effets sanitaires dévastateurs ; dans son sillage, toute l'économie d'une nation se trouve en péril.

L'image de Bill Clinton n'est en fait pas assez précise. Aujourd'hui, nous sommes tous des passagers du *Titanic*.

10

Changement

Les États-Unis ont donc changé.

La présence de Kathleen Sebelius à la conférence Weight of the Nation en est la preuve. La secrétaire d'État à la Santé et, à travers elle, l'administration Obama ont décidé de s'attaquer au monstre.

« S'il s'agissait d'une épidémie de jeunes enfants atteints du cancer, nous parlerions de crise nationale, commente-t-elle. Mais parce qu'il s'agit de l'obésité et que les dégâts n'apparaissent et se mesurent que tard dans la vie, nous avons été très lents à agir. [...] Il faut que les Américains sachent que, lorsque le poids de nos enfants augmente, leur espérance de vie diminue. Et c'est un problème que nous ne pouvons plus ignorer [1]. »

Le constat est dramatique, mais l'enjeu clair. Comme je l'ai écrit et répété à plusieurs reprises à la sortie de *Toxic*, pour la première fois dans l'histoire de l'humanité l'espérance de vie de nos enfants

---

1. Http://www.hhs.gov/news/press/2009pres/07/20090728a.html.

risque d'être inférieure à la nôtre. Une régression obtenue à coups de fourchette !

*

Si, parmi toutes les interventions programmées lors de la conférence, les discours de Sebelius et Clinton ont particulièrement attiré mon attention, c'est parce que ces deux personnalités politiques ne se contentaient pas de tirer la sonnette d'alarme. Elles promettaient des pistes de sortie, voire des solutions.

Ainsi, après la litanie des mauvaises nouvelles, la secrétaire d'État à la Santé a affirmé que rien n'était perdu pour autant. Une affirmation qui, dans les rangs du public habitué à constater la courbe exponentielle de l'obésité aux USA, n'a pas manqué d'intriguer et même amuser.

Sebelius, entre deux blagues – comme il est de coutume ici –, est en effet passée au plat de résistance. « Que pouvons-nous faire devant les coûts croissants de l'obésité ? a-t-elle demandé. Eh bien, la bonne nouvelle, c'est que nous pouvons faire beaucoup... Nous pouvons faire comme ce district scolaire de Californie du Sud où la moitié des élèves se sont mis, dans leurs cantines, à se servir au buffet salade depuis que les légumes y sont frais et ne donnent pas l'impression d'avoir été sous cellophane un mois. Ou encore comme cette ville de Californie du Nord, où le nombre de filles allant en cours de danse a doublé depuis qu'un système de transport en commun permet de s'y rendre [1]. »

1. Http://www.hhs.gov/news/press/2009pres/07/20090728a.html.

En découvrant la nature de son subtil optimisme, j'ai – je dois l'avouer – déchanté. D'autant que maintenant le ton était donné, et le reste de la conférence, où se pressaient nutritionnistes et spécialistes de la bonne santé, poursuivit le même sillon sans penser plus loin. Car, une nouvelle fois, comme je l'avais déjà vu en enquêtant pour *Toxic*, les autorités publiques se fourvoyaient, se trompant de combat. S'il n'y a rien d'insensé à prescrire de manger moins, à recommander de bouger plus, c'est oublier que d'innombrables études, observations et expériences prouvent, depuis des années et sans le moindre doute, que cela ne suffira pas à enrayer la pandémie.

Si nos modes de vie, la modernisation des sociétés, la taille des portions avalées représentent des facteurs de la crise, les véritables coupables, redisons-le, sont ailleurs. En trente ans, l'alimentation, en devenant industrielle, a fait sa révolution. Or c'est précisément le contenu même de nos assiettes qui nous rend malades.

Un peu plus tôt d'ailleurs, Bill Clinton m'avait donné un mince espoir, le sentiment de vouloir briser le tabou ancré au cœur du système américain en déclarant : « La crise de l'obésité est un problème de santé publique que l'on ne peut résoudre uniquement dans le cadre confiné du bureau d'un médecin. Si nous voulons modifier la donne, nous devons changer ce qui se passe dans nos foyers, nos communautés, nos voisinages et nos écoles [1]. »

Une rhétorique de pur style clintonien puisqu'une fois l'intention affichée et les applaudis-

1. Http://www.healthiergeneration.org/media.aspx?id=3535.

sements retombés impossible de savoir précisément et concrètement de quoi l'ancien Président a parlé.

S'agissait-il, dans son propos, d'une remise en cause de nos habitudes alimentaires ou bien, de manière plus habile, d'une dénonciation de la nourriture industrielle qui, au sein des écoles, foyers et communautés, a peu à peu remplacé l'alimentation traditionnelle ?

*

Je ne suis pas le seul à avoir compris combien la déclaration de l'ancien Président peut être une lame à double tranchant, une remise en cause du mode de vie américain issu des années 1960-1980, avec hamburger gras à volonté, frites surgelées, sodas hypersucrés, plats préparés contenant bien d'autres ingrédients – souvent néfastes – que ceux présentés sur la jolie photo de l'emballage. En éternel gardien du *statu quo* refusant que s'immisce le moindre doute quant au bien-fondé de l'*American way of life*, Fox News a transformé les projets de résolution de la crise d'obésité en enjeux de politique nationale. Et ouvert son antenne à deux élus inquiets pour la pérennité des libertés individuelles.

Réitérant un discours trop entendu – et dénoncé dans *Toxic* –, Ken Seliger a en effet estimé que voir le gouvernement Obama entrer dans la bataille contre l'obésité revenait « à limiter le choix personnel ». Et, en noble gardien de la Constitution, de conclure : « Je préfère que l'on informe le public plutôt qu'on le force [1]. »

1. Http://www.foxnews.com/politics/2009/07/28/government-tackles-obesity-anew-restraint/.

De son côté, Jodie Laubenberg, après avoir affirmé que l'action du gouvernement en la matière ne devait pas aller plus loin que la création de campagnes d'information destinées au public, mit en garde : « Est-ce le rôle du gouvernement de me dire ce que je dois manger ? Si c'est le cas... alors pourquoi ne pas interdire la caféine ? Où sont les limites ? Où nous arrêterons-nous [1] ? »

Il ne faut pas chercher loin pour trouver les sources d'inspiration de Seliger et Laubenberg, élus républicains du Texas. Leur discours, qui considère le citoyen comme seul responsable de ses bons ou mauvais choix, est au cœur de la stratégie de défense adoptée par l'industrie agroalimentaire mise sur la sellette. La liberté de choix est un chiffon rouge agité devant les caméras dès que l'on évoque la possibilité de légiférer contre la nourriture industrielle. Une sorte de calque de la tactique inventée en son temps par l'industrie du tabac qui, pendant plus de quarante ans, empêcha toute loi restreignant les ventes de cigarettes et s'efforça de rejeter sa responsabilité dans un certain nombre de cancers. Une ligne de défense utilisée désormais par la majorité des responsables de la toxicité au quotidien.

De fait, allant au-delà des questions posées par la Fox et le discours de Bill Clinton, Ken Seliger a, en une phrase, mis un doigt sur l'enjeu essentiel, la crainte fondamentale. Après avoir expliqué être favorable à l'idée d'une meilleure éducation alimentaire scolaire, Seliger a affirmé sa volonté de ne jamais « voir le gouvernement limiter certains ingrédients de notre nourriture [2] ».

---

1. *Idem.*
2. *Idem.*

Limiter certains ingrédients de notre nourriture...

Comme les acides gras-trans par exemple, sans doute parce qu'au printemps 2009, en compagnie de Jodie Laubenberg, Ken Seliger a précisément conduit le combat de l'opposition républicaine contre une loi texane votée en première instance par le Congrès démocrate d'Austin sur la question. Une loi qui voulait, comme c'était déjà le cas à New York et bientôt en Californie, interdire l'utilisation des acides gras-trans dans l'État. Un enjeu de taille, on s'en doute. Précisément celui, immense, du Texas. Un marché si vaste qu'entériner ce texte aurait quasiment contraint les fournisseurs de restaurants à modifier leurs produits pour l'ensemble des États-Unis. En soutenant l'interdiction des acides gras-trans au Texas, Seliger et Laubenberg auraient pu enclencher un effet positif pour la santé de l'ensemble de la nation. Mais voilà, eux poursuivaient un autre but.

Soucieux des libertés individuelles – ou des intérêts bien compris des industriels de la restauration, de l'élevage, de la pharmacie, de la boisson et de l'agroalimentaire, tous généreux donateurs de leurs campagnes [1] –, Seliger, Laubenberg et les républicains texans ont tout fait pour obtenir le rejet de la proposition de loi. Et empêché le pays d'avancer enfin sur la bonne voie.

*

Le décalage entre les solutions avancées par la secrétaire d'État de Barack Obama et les écrans de

1. La liste détaillée des contributeurs des élus américains est disponible au http://www.followthemoney.org/.

fumée et levées de boucliers dressés par l'industrie agroalimentaire et ses alliés me ramenait donc, en cet été 2009, à une triste réalité.

Que la publication du rapport annuel *F as fat* [1], de l'organisation Trust for America's Health (TFAH), confirma, hélas !

Le document démontre comment les politiques de lutte contre l'obésité ont échoué aux États-Unis. Et, chiffres à l'appui, martèle une sévère vérité : « L'obésité chez l'adulte américain n'a baissé dans aucun État [2]. » Pire, les chercheurs du TFAH ont découvert que, dans plus de trente États, un tiers des enfants âgés de moins de quinze ans sont en situation de surpoids ou d'obésité !

*

Les participants de la conférence Weight of the Nation pouvaient donc s'essouffler dès l'aurore dans des exercices de gym.

Bill Clinton, Kathleen Sebelius et Barack Obama pouvaient bien continuer à s'afficher en champions de la réforme.

Fox News, le Parti républicain et les lobbyistes de l'industrie pouvaient de leur côté se parer des habits d'apôtres de la liberté.

La vérité, terrifiante, était bien plus grave.

De Rio Grande City à Washington, aux États-Unis, en fait rien n'avait changé !

---

1. Qui en français serait G comme Graisse. Rapport disponible sur http://healthyamericans.org/reports/obesity2009/.
2. *Idem.*

11

Plaisir

Mes souvenirs d'enfance ont le fumet des plats cuisinés par ma mère. Dont l'ingrédient majeur était toujours le même : l'amour.

Longtemps, la cuisine a été au centre de mon existence. La longue table de la maison cumulait en effet les fonctions. On y mangeait bien sûr, mais j'y faisais également mes devoirs, tentant de capturer les bribes des conversations que les adultes menaient à l'autre bout.

À mieux fouiller mon passé, je réalise que l'essentiel des fragments de mon histoire s'est déroulé là. De l'attendu repas de Noël au gigot de Pâques, du couscous du dimanche à la paëlla familiale, des goûters d'après-classe aux grillades estivales, ma mémoire est jalonnée de goûts, d'odeurs, de couleurs, d'éclats de rire et d'épices.

Manger a toujours été un plaisir. Une sensation ne se limitant pas aux seuls aliments garnissant l'assiette. Un bon repas est un tout. La nourriture joue un rôle essentiel mais n'est rien sans les êtres qui l'accompagnent. S'asseoir autour d'une table constitue un moment privilégié de communication où le temps, pris dans un étrange paradoxe, se suspend et s'emballe.

Rien de bien révolutionnaire dans cette description. Déjà, au XVIIe siècle, Brillat-Savarin avait théorisé cette double définition de l'alimentation. Ainsi, selon le gastronome français, le repas différencie le genre humain du genre animal : les bêtes se nourrissent afin de survivre tandis que l'homme mange. Certes s'alimenter est essentiel à sa survie, mais le cérémonial qui l'entoure contient une fonction culturelle toute aussi importante.

Le temps de manger n'est rien d'autre que celui de vivre.

*

Les plaisirs de la table, on ne doit jamais cesser de les célébrer, vanter, évoquer, marteler. Car si l'alimentation industrielle a peu à peu pris le contrôle de nos assiettes, suscitant et amplifiant la pandémie d'obésité et les maladies collatérales constatées aujourd'hui, c'est précisément parce que, séduits par une apparente facilité, nous avons baissé la garde et oublié ces bonheurs-là.

L'initiation au goût, à la variété, l'incitation à élaborer nos propres plats, l'apprentissage des vertus hédonistes d'un bon repas doivent être enseignés dès le plus jeune âge. Une éducation est bien plus efficace que n'importe quelle campagne gouvernementale incitant à manger fruits et légumes.

J'affirme cette certitude d'autant plus fort que ma vie aux États-Unis me démontre chaque jour qu'à l'oublier on court de graves périls.

En plus de trente ans d'évolution de leur nourriture, les États-Unis ont en effet perdu leurs repères alimentaires. Comme le raconte Michael Pollan, chroniqueur culinaire du *New York Times Magazine,* les Américains sont devenus orthorexiques [1]. Ce terme, avancé pour la première fois en octobre 1997 par le médecin Steve Bratman [2], mêle deux racines grecques. *Ortho,* qui signifie correct, et *exia,* l'appétit. Une expression qui, à elle seule, résume l'angoisse d'une nation. Perturbée par les sentences contradictoires des nutritionnistes, submergée par les vagues successives de régimes à la mode sans résultats durables, l'Amérique a perdu le nord et développé une « obsession malsaine de recherche d'une alimentation saine [3] ».

Cette angoisse face à la nourriture et le dérèglement qui s'ensuit intéressent Paul Rozin depuis une dizaine d'années. Chercheur et professeur en psychologie à l'université de Pennsylvanie [4], Rozin est un spécialiste du poids culturel dans les choix alimentaires [5]. Amoureux des plaisirs de la table et ayant multiplié les voyages culinaires dans l'Hexagone, Rozin utilise le rapport particulier à la nourriture constaté en France pour le comparer à celui de ses compatriotes.

L'un de ses exercices fétiches est de proposer des mots clefs à un panel de Français puis à un autre

1. Michael Pollan, *In Defense of Food*, The Penguin Press, 2008.

2. Steve Bratman, « Essay on Orthorexia », *Yoga Journal*, octobre 1997, http://www.orthorexia.com/index.php?page=essay.

3. *Idem.* À noter, parmi les patients suivis par Steve Bratman, le cas de Kate Finn, décédée en juin 2003, de cette forme d'anorexie. Lire à ce sujet : http://www.beyondveg.com/finn-k/bio/finn-k-bio-1a.shtml

4. Http://www.psych.upenn.edu/~rozin/.

5. Http://www.mtholyoke.edu/offices/comm/csj/032902/food.shtml.

d'Américains, histoire de voir précisément comment chaque pays perçoit l'acte de manger. Si, généralement, les Français associent le terme « gâteau au chocolat » à la notion de dessert, au concept de « fête », majoritairement ses compatriotes évoquent la « culpabilité » !

Un décalage frappant, majeur même. Qui l'incite à écrire : « Les Américains sont perdus. Le gras, même à un faible niveau, est devenu dans l'inconscient collectif l'équivalent d'une toxine. De manière générale, s'inquiéter autant de ce que l'on mange ne peut être une bonne chose pour la santé [1] ! »

*

Le décalage entre nos deux pays dépasse le seul stade de la perception.

Rozin est persuadé que si la pandémie d'obésité n'a pas encore contaminé la France dans les mêmes proportions, c'est notamment parce que notre rapport à l'acte de manger est différent. Tandis que l'Américain fait dans l'efficacité, le Français prend son temps. Y compris au McDonald's où, d'après Rozin et « malgré le fait que leurs portions soient plus petites que celles des Américains », les Français passent plus de temps. « Augmentant *de facto* la valeur de l'expérience liée au repas [2]. »

La rapidité des Américains à se nourrir n'est en rien exagérée. Et dépasse le cadre des seuls fast-foods. De fait, un Européen qui séjourne aux

---

1. *In Defense of Food, op. cit.*
2. Paul Rozin, *The Ecology of Eating*, *Psychology Science*, septembre 2003, http://www.ncbi.nlm.nih.gov/pubmed/12930475.

États-Unis est un cauchemar pour les restaurateurs, quels qu'ils soient. Non parce qu'il ignore les règles de calcul du pourboire, mais bien parce que, conformément aux constatations de Rozin, il reste « trop » longtemps à table. Trop, évidemment, aux yeux des responsables du restaurant.

Le fragile équilibre économique de la restauration américaine repose en effet en grande partie sur le taux de rotation de la clientèle, la multiplication des clients permettant de proposer une politique agressive des prix du repas, rendant la sortie au restaurant plus abordable qu'en Europe.

Si dans les cuisines règne une efficacité fordienne destinée à assurer l'arrivée rapide des plats à table, c'est dans la salle que l'essentiel de la partie se joue. Où le rôle du serveur – rémunéré essentiellement au pourboire, donc à son tour motivé par la multiplication des consommateurs – consiste, avec le sourire, à s'assurer que le rythme ne connaisse aucun répit. En somme, à limiter au maximum le temps passé par le client à table.

Autant, en France, il faut souvent demander plusieurs fois l'addition pour l'obtenir, aux États-Unis, avec tact, toujours à disposition du client, le serveur dépose la note sur un coin de la table quelques minutes à peine après l'ultime bouchée avalée. Si tout s'est bien passé, l'étape restaurant n'aura pas dépassé quarante-cinq minutes [1].

---

1. Ces données m'ont été confirmées par le vice-président d'une chaîne de restauration souhaitant rester anonyme. Parmi les autres trucs utilisés par les restaurants, figure l'emplacement des tables. Volontairement, elles ne sont pas placées en dehors du flux de l'activité du restaurant mais au milieu des lieux de passages. Ce mouvement continu pousse inconsciemment le client à ne pas s'éterniser, ce à quoi tout coin tranquille inciterait.

Ce qui contribue à ruiner un peu plus ce qui pourrait être un moment de réconciliation entre un peuple et sa nourriture !

*

Néanmoins, reconnaissons-le : la pandémie d'obésité ne s'explique pas seulement avec les conclusions de Bratman et Rozin. Mais il s'agit de l'un des facteurs y contribuant [1], un facteur aggravant les dégâts suscités par l'expansion massive de la nourriture industrielle.

Pourtant, ce détour était nécessaire tant il répond à l'une des conclusions de *Toxic*, mon précédent livre sur le sujet. Comme je l'écrivais alors, la fin de l'épidémie et la diminution des quantités de maladies connexes qu'elle suscite passeront par une reprise de contrôle par chacun du contenu de ses assiettes.

Se souvenir que manger est un plaisir à partager, se savourant dans la durée [2], et prendre conscience des dégâts nés de l'oubli de cette vérité ne représente toutefois qu'une première étape.

Révéler les dangers du mode alimentaire américain, que le monde adopte chaque jour davantage, et dévoiler la manière dont l'industrie agroalimentaire l'impose sur nos tables représentent, logiquement, les étapes suivantes.

---

1. Comme le sont la taille des portions, la sédentarité, le travail des couples, la modernisation de nos cuisines... Autant de facteurs décryptés dans le premier tome de *Toxic*, sur lesquels je ne reviendrai pas ici.

2. Rozin est persuadé que les effets bénéfiques du temps passé à table sont réels même lorsque l'on ne peut pas appliquer cette règle de manière régulière et fréquente. Conclusion ? Prenez le temps d'apprécier un bon repas chaque fois que c'est possible.

12

Dickens

Suruchi Bhatia n'en revenait pas.

Arrivée du Texas, cette spécialiste des maladies infantiles a pris, en 2002, la tête du département d'endocrinologie et diabète du Children's Hospital d'Oakland, en Californie.

La ville, l'un des plus grands ports de la côte Ouest, est sans doute la plus ethniquement diversifiée des États-Unis [1]. Cette présence de nombreux immigrants, comme c'est souvent le cas, se traduit par une large disparité de revenus, visible selon les zones. Ainsi, l'ouest et l'est de la cité sont considérés comme les quartiers pauvres d'Oakland.

Une situation connue, malheureusement presque classique, qui ne laissait pourtant pas présager le challenge sanitaire que Suruchi Bhatia devrait affronter.

*

1. Selon le recensement de 2000, plus de 150 langues différentes sont parlées à Oakland.

Les premiers patients se sont présentés au début de l'hiver. Suruchi débarquant tout juste du Texas, son premier réflexe fut de demander à ses confrères si ce qu'elle constatait était habituel à Oakland. Un peu comme une sorte de spécialité locale dont, par honte, personne ne parlerait.

La réponse ne tarda pas : si, dans le passé, étaient survenus quelques cas, ils n'avaient pas grand-chose en commun avec la surprise de ce mois de décembre 2002. Et rien à voir non plus avec ce qui fut révélé par la suite.

Face à elle, un enfant noir de deux ans, en surpoids, développait les symptômes classiques de la déformation squelettique liée... au rachitisme [1] ! Et son cas ne fut pas isolé. « Le premier hiver, j'ai traité tellement d'enfants rachitiques que j'ai eu du mal à le croire [2] », raconte-t-elle. À sa décharge, il faut savoir que l'on considère le rachitisme comme une maladie quasiment éradiquée dans les sociétés occidentales. « Rien dans ma formation médicale pédiatrique ne m'a formée à cela, ajoute cette femme interloquée. Lorsqu'on évoque le rachitisme, c'est au passé. Comme d'une maladie qui a disparu lorsque les enfants ont arrêté de travailler en usine [3]. » Le rachitisme est, en effet, un syndrome remontant à la révolution industrielle rappelant les ouvrages de Charles Dickens, à l'époque où les enfants vivaient et travaillaient dans des conditions

---

1. Http://www.doctissimo.fr/html/sante/encyclopedie/sa_1266_rachitisme.htm.
2. Http://www.sfgate.com/cgi-bin/article.cgi ?f=/c/a/2006/08/28/BAGS7KQHBF1.DTL&hw=stanford&sn=003&sc=354.
3. *Idem.*

déplorables. En somme, rien à voir avec la situation d'Oakland.

Pourtant ici, au cœur de l'Amérique, la venue chaque hiver d'une vingtaine de patients confirme la résurgence de la maladie. Pire, les médecins du Children's Hospital sont persuadés que seuls les enfants atteints de symptômes de déformation sévères ont visité leurs services. Ce qui signifie que de nombreux bébés et jeunes d'Oakland présentent une carence en vitamine D, qui met en péril leur développement osseux sans qu'on le sache [1].

*

Si la réapparition, en pleine Amérique moderne, d'une maladie disparue a de quoi choquer Suruchi Bhatia, une autre découverte se révéla bien plus troublante. Tandis que certaines carences analysées pouvaient s'expliquer par une résistance aux rayons solaires [2] ou un manque d'exposition lié à des contraintes religieuses [3], d'autres ne correspondaient à aucune explication claire.

Plus étrange – si possible ! – bien qu'affichant des symptômes du rachitisme, les enfants semblaient en

1. Tout comme la carence en vitamine D est responsable d'une mauvaise minéralisation dentaire et joue un rôle essentiel dans le développement de certains cancers.

2. La vitamine D, et plus particulièrement la vitamine Cholécalciférol D3, est produite par la peau sous l'action des rayons ultraviolets. Certaines peaux noires très résistantes au soleil sont parfois à l'origine d'une carence.

3. Deux des cas examinés par Suruchi Bhatia étaient des bébés – dont un prématuré – nés avec une carence en vitamine D. Une carence présente chez les mères transmise au stade fœtal. Les deux mères en question, musulmanes, vivaient presque entièrement voilées, limitant ainsi leur exposition au soleil. Un manque que leur alimentation n'avait pas compensé.

pleine forme. Aucun, par exemple, ne souffrait de malnutrition. Au contraire même, certains présentaient les signes d'une tendance à l'obésité. Une donnée où se situait peut-être la clé du problème.

*

Au fil des ans, le docteur Bhatia, spécialisée dans les traitements des diabètes chez l'enfant obèse, a évidemment confirmé que l'alimentation jouait un rôle majeur dans la santé d'un patient.

Rien de nouveau sur ce point du reste. Comme le note David Servan-Schreiber dans son livre *Anticancer* : « Depuis cinq mille ans, toutes les grandes traditions médicales ont utilisé l'alimentation pour peser sur le cours des maladies[1]. » Et le chercheur français de rappeler que « cinq cents ans avant notre ère, Hippocrate disait : *Que ton alimentation soit ton traitement, et ton traitement ton alimentation*[2]. » Une citation qui fait directement écho à une autre phrase, toujours du père de la médecine, et qui, depuis le début de ma passion pour le contenu de nos assiettes, me sert de fil directeur : « Comment comprendre les maladies de l'homme quand on ne connaît rien à l'alimentation ? »

L'intuition de Bhatia était bonne. Le point commun entre les différents rachitismes d'Oakland réside dans leur mode alimentaire. Domiciliées dans la zone la plus pauvre de l'est de la ville, les familles

1. David Servan-Schreiber, *Anticancer*, Robert Laffont, 2007.
2. *Idem.*

concernées sont en effet victimes d'une forme pernicieuse d'*apartheid* nutritionnel.

Comme je l'ai expliqué dans *Toxic*, voir des commerces vendant des produits frais dans les quartiers défavorisés américains est quasi impensable. Dès lors, l'alimentation y existe seulement sous deux formes. La première passe par les chaînes de fast-foods où une clientèle régulière, attirée par le prix, se nourrit du petit déjeuner au dîner. La seconde, qui a remplacé les étals des supermarchés, est la section « épicerie » des stations-service. Des lieux où désormais, et depuis une décennie, la vente de produits issus de l'industrie agroalimentaire rapporte plus que le litre d'essence [1]. Un mode de distribution considéré, y compris dans le plan Obama présenté par Sebelius lors de la conférence Weight of the Nation, comme l'un des facteurs de la pandémie d'obésité [2].

Dans les quartiers est d'Oakland donc, l'essentiel de la nourriture avalée est industrielle, produits conçus pour être vendus à bas prix et enrichis de conservateurs afin d'en allonger les dates de consommation. Or la vitamine D apparaît rarement dans ce genre d'alimentation.

Les produits les plus riches en vitamine D sont les poissons gras comme la morue [3], le saumon ou

1. David A. Kessler, *The End of Overating*, Rodale, 2009.

2. L'administration Obama souhaite encourager l'implantation de commerces de produits frais dans les zones où ils ont disparu.

3. Dale-Percival, médecin qui traita le rachitisme lors de la révolution industrielle, fut le premier à constater que l'huile de foie de morue améliorait la santé des enfants malades. Quelques décennies plus tard, Armand Trousseau, un Français, remarqua, lui, les effets positifs du soleil. Ce n'est qu'en 1922 que l'on isola la présence de vitamine D dans l'huile de foie de morue.

la sardine [1]. Viennent ensuite les produits laitiers. Il faut d'ailleurs savoir qu'aux États-Unis, contrairement à la France [2], le lait est enrichi en vitamine D depuis la fin des années 1920. Certaines céréales complètes, les œufs et champignons concluent la liste. Évidemment, et sans surprise, ces aliments ne font absolument pas partie du régime alimentaire des enfants d'Oakland.

Ce qui crée un paradoxe moderne : une maladie du passé, que l'on croyait éteinte à jamais, ressurgit pour s'associer à la pandémie d'obésité.

De quoi prouver à nouveau la responsabilité de nos assiettes dans la dégradation de nos états de santé.

*

Les rachitiques de Californie ne sont pourtant qu'une mise en garde. Leur alimentation, jusque dans l'extrême, résume la réalité de la nourriture industrielle. À savoir des produits à bas prix, dont le goût et la présentation sont agréables mais dont les nutriments, quand ils ne sont pas absents, disparaissent durant les phases de fabrication.

Face à ce problème, l'industrie agroalimentaire, toujours prompte à proposer une solution dès

1. Pour une liste des aliments riches en vitamine D voir : http://www.vitalor.com/Pages/vitamine_d_rich.html.

2. La vitamine D est une vitamine liposoluble qui se stocke dans le corps humain. Son excès peut être dangereux, entraînant par exemple une présence de calcium dans le cœur et les reins. En France, seul l'enrichissement du lait pour enfants est autorisé et strictement contrôlé. D'autant que la vitamine est administrée désormais systématiquement sous forme médicamenteuse lors de la première année de vie du nourrisson.

qu'on la montre du doigt – oubliant soigneusement au passage d'admettre qu'elle est responsable du mal –, a inventé une parade. Un concept même, révolutionnaire et générateur de revenus : fortifier les produits. Depuis vingt ans, dans un formidable tour de passe-passe, elle vend plus cher des produits sans grande valeur nutritionnelle auxquels elle a ajouté des vitamines, des fibres et des minéraux !

Passons sur l'illogisme qui consiste à enrichir un aliment après l'avoir appauvri, évacuons les vertus affichées en lettres criardes sur les emballages, bien exagérées compte tenu des faibles quantités ajoutées, pour asséner une vérité : ces aliments modifiés n'auront jamais les mêmes vertus qu'un produit frais.

Étude après étude, il est en effet confirmé que les vitamines mises au point par l'industrie pharmaceutique et utilisées dans l'alimentation n'ont pas les mêmes propriétés que celles d'un légume ou d'un fruit. Le miracle des effets bénéfiques de l'alimentation sur la santé réside au cœur même de la biologie de l'aliment. Pour susciter un impact positif sur l'organisme, l'ingrédient a besoin de cohabiter et interagir avec d'autres nutriments. Isolée, une vitamine n'aura donc pas le même « pouvoir » que celle contenue dans un produit frais [1].

Dès lors – et afin d'appliquer le précepte d'Hippocrate recommandant d'utiliser l'alimentation comme premier recours contre les maladies –, la solution paraît simple : modifier nos sources de vitamines et de fibres pour préférer, par exemple,

1. T. Colin Campbell, Thomas M. Campbell, *Le Rapport Campbell*, Ariane, 2008.

un véritable pain complet à un pain enrichi industriellement.

Après Oakland et ses enfants malades, ce conseil paraît couler de source. Seulement voilà : l'expérience acquise lors de l'enquête ayant conduit au premier volume de *Toxic* m'a démontré qu'en matière de révolution alimentaire, rien n'est aussi simple.

13

Assurance

Parfois, les petites phrases cachent des vérités essentielles.

Prenez le professeur Walter Willet. Président du département de Nutrition de l'École de santé publique de Harvard, à Boston, il est l'un des nutritionnistes les plus réputés de la planète. Depuis son entrée dans cette prestigieuse université, en 1973, il dissèque nos habitudes alimentaires.

Mes premiers échanges avec lui remontent à mon intérêt pour les acides gras-trans, ces « tueurs » cachés dans la nourriture et nés d'une hydrogénation industrielle partielle [1].

Si Willet fut l'un des premiers scientifiques américains à alerter l'opinion quant aux dégâts du *trans-fat,* ses travaux ne se limitent pas à ce sujet. À la tête d'une équipe d'épidémiologistes, il tente aussi de déterminer le mode alimentaire le plus efficace pour lutter contre la pandémie d'obésité.

1. Voir *Toxic, op. cit.*

À ce titre, en 2002, il a publié – avec succès – un guide de conseils nutritionnels [1] destiné aux Américains en quête du mieux manger. Huit ans après, le travail de Willet – trois cent quatre pages bien fournies en explications parfois complexes – a été résumé par l'opinion et les médias à quelques mots : « Prenez une multivitamine comme assurance. »

À son grand désespoir, cette phrase, tirée du titre de son chapitre 10, est devenue une sorte de slogan. Et pour cause : à une époque où la consommation de suppléments alimentaires était considérée comme la meilleure manière de produire de « l'urine de luxe [2] », l'approbation du grand gourou de Harvard ne pouvait passer inaperçue. Et encore moins être négligée par les fabricants de suppléments, trop heureux de déclencher dans la foulée une spectaculaire campagne de communication destinée à faire circuler ce message – tronqué – dans l'opinion publique américaine.

En rédigeant son livre, Willet n'avait pas imaginé être aussi caricaturé. Il avait conclu ce chapitre 10 s'appuyant sur plusieurs années de recherches par une phrase humoristique : la prise quotidienne d'une multivitamine était le moyen le moins cher de s'assurer un régime complet. Jamais, comme cela a été déformé ensuite, ce professeur ne voulait suggérer que la prise de supplément relevait de la panacée. Hélas, la nouvelle fit boule-de-neige et aucune précision sémantique ne parviendrait à la stopper.

---

1. Walter C. Willet, *Eat, Drink and Be Healthy : The Harvard Medical School Guide To Healthy Eating*, Free Press, 2002.
2. Http://www.orthomolecular.org/resources/omns/v04n21.shtml et http://news.bbc.co.uk/2/hi/health/109881.stm.

Et l'Amérique, jusqu'à l'excès, se précipita dans les rayons vendant les pilules de vitamines.

*

Durant l'une de mes conversations avec Willet, délaissant les acides gras-trans un instant, je suis revenu sur l'avis qu'il avait formulé en 2002. Ses convictions avaient-elles évolué ? Alors que se multiplient les travaux dénonçant le risque de surdosage de certaines vitamines [1], alors que la qualité de certains des suppléments vendus est déplorable [2], alors que certains fabricants ajoutent conservateurs, colorants chimiques et acides gras-trans à leurs produits, continue-t-il à recommander la prise quotidienne d'une multivitamine ?

Après avoir émis les réserves d'usage quant à la nécessité d'acheter des produits de grandes marques dont la pureté est testée de manière indépendante, le professeur n'a pas changé d'avis.

Mieux, il précise que, selon lui, une multivitamine reste le meilleur moyen de pallier les « carences » de notre alimentation.

Carence ?

Je peux aisément comprendre sa remarque lorsqu'on évoque le régime de base américain, où les produits frais brillent par leur absence, pour être remplacés par les mauvaises graisses, le sucre, le sel et une pléthore de substances chimiques. Mais pourquoi élargir autant le sujet ? Eh bien, précisément

1. Https://www.health.harvard.edu/fhg/updates/update 0906d.shtml.

2. En 2006, un test de *Consumers Union* démontra que la moitié des vitamines vendues sur le marché américain ne contenait pas les nutriments promis sur l'étiquette.

parce que, selon lui, nous sommes tous visés, quel que soit notre régime alimentaire.

À en croire cet éminent professeur de Harvard, qui cite étude sur étude, notre alimentation seule ne suffit plus à répondre à nos besoins.

Si les preuves avancées par Willet sont solides – et il n'y a pas de raison de mettre en doute sa conclusion –, d'innombrables questions surgissent. En commençant par celle-ci : depuis quand et pourquoi nos aliments ne parviennent-ils plus à combler nos besoins ?

14

Statistiques

La réponse prend l'allure d'une litanie de statistiques. Mais l'avantage avec les chiffres, c'est qu'eux ne mentent pas.

Depuis le début du XXe siècle, les ingénieurs agronomes de nombreux pays collectent une série d'informations sur les fruits et légumes consommés. Ces données, complétées régulièrement, permettent d'établir une comparaison entre, par exemple, le taux de vitamine C d'une orange au début des années 1960 et une autre disons contemporaine. Et, donc, de déterminer l'évolution nutritionnelle de la nourriture afin de comprendre pourquoi le professeur Willet continue d'insister sur la nécessité de « supplémenter » l'alimentation.

*

En juillet 2002, le quotidien canadien *The Globe and Mail* publia, en partenariat avec la chaîne d'information CTV, une enquête comparative signée André Picard [1]. Inspiré par des recherches menées cinq ans plus tôt par Anne-Marie Mayer pour le prestigieux *British Food Journal* [2], l'article se proposait de comparer la teneur en nutriment de vingt-cinq fruits et légumes vendus durant l'été 2002 dans les supermarchés canadiens. Comme référence, le laboratoire de recherche sélectionné par le journal utilisa les données gouvernementales disponibles pour les années 1951, 1972 et 1999.

L'étude britannique menée par Anne-Marie Mayer avait étudié la composition de quarante fruits et légumes entre 1936 et 1991 à partir du document gouvernemental qu'est *The Chemical Composition of Foods.* Ses conclusions avaient été claires : « Il existe des réductions significatives des niveaux de calcium, magnésium, fer, cuivre et sodium dans les légumes. Et des réductions significatives de magnésium, fer, cuivre et potassium dans les fruits. Le plus grand changement concerne le niveau de cuivre dans les légumes, qui représente désormais moins d'un cinquième d'autrefois [3]. » Par ailleurs, comme nous le verrons, Mayer donnait des pistes pour comprendre comment, en moins de soixante ans, une partie essentielle de notre alimentation avait tant perdu de valeur nutritive.

Mais revenons à l'enquête canadienne désirant voir si l'étude britannique relevait de l'exception.

---

1. L'article, présent dans les archives réservées aux lecteurs du quotidien de Toronto, est également disponible sur http://www.mindfully.org/Food/Lack-Yesterdays-Nutrition6jul02.htm.

2. Anne-Marie Mayer, « Historical Changes in the Mineral Content of Fruits and Vegetables », *British Food Journal*, volume 99, issue 6, http://www.californiaearthminerals.com/media/british-food-mineral-depletion-study-v101.pdf.

3. *Idem.*

Eh bien, comme on pouvait le craindre, ce n'est malheureusement pas le cas.

Le titre même de l'article annonce la couleur puisqu'il déplore que dans les « fruits et légumes d'aujourd'hui manquent des qualités nutritives d'hier ». Dans le texte même, André Picard écrit : « La présence de vitamines vitales et de minéraux a dramatiquement baissé parmi quelques-uns des aliments les plus populaires comme les pommes de terre, les bananes et les pommes[1]. »

Afin de prouver ses dires, le journaliste insiste sur l'exemple de la pomme de terre, légume le plus consommé au Canada. « La patate moyenne a perdu 100 % de sa vitamine A, qui est importante pour une bonne vision ; 57 % de sa vitamine C et de son fer, un élément clef de notre système sanguin ; et 28 % de son calcium, essentiel à nos os et nos dents[2]. »

Si, aux yeux de certains, ces pourcentages peuvent paraître abscons, une autre comparaison s'avère sans appel. Se fondant sur les tables statistiques émanant du gouvernement canadien, Picard assène qu'afin de consommer une orange avec autant de vitamine A qu'à l'époque de nos grands-parents, il faudrait aujourd'hui en avaler... huit !

*

Aussi incroyable que cela puisse paraître, le plus étonnant ne se trouve pas dans les conclusions de ces études britanniques et canadiennes. Non, une

---

1. *Idem.*
2. Http://www.mindfully.org/Food/Lack-Yesterdays-Nutrition6jul02.htm.

fois encore, c'est la réaction – ou plutôt l'absence de réaction – des autorités gouvernementales qui agace, scandalise, interpelle. Sollicité par le quotidien de Toronto, l'équivalent du ministère de la Santé du Canada s'est refusé à commenter les analyses comparatives, considérant le débat comme une « discussion d'ordre académique [1] ». Et ce malgré une information révélée par Alison Stephen, directrice de recherche sur les problèmes cardiaques à la *Heart and Stroke Foundation of Canada*, selon laquelle « la plupart des Canadiens ne s'approchent pas du niveau recommandé de consommation de fruits et légumes ».

Le mutisme canadien officiel fait écho au lourd silence entendu à Londres, suite à l'étude d'Anne-Marie Mayer. Elle demandait au gouvernement britannique d'enquêter sur les conséquences de cet appauvrissement nutritionnel. Et attend toujours.

*

Si la réticence des élus à s'exprimer peut s'expliquer – ils connaissent mal le sujet, ne savent comment le prendre, etc. –, l'industrie agroalimentaire, elle, n'a pas manqué de réagir. En trois étapes. Avec comme objectif de « noyer le poisson », d'apaiser les craintes suscitées par de telles enquêtes, de proposer des solutions – ou prétendues telles – et, *in fine*, de préserver ses activités lucratives.

D'abord, rassurer le consommateur.

Pour cela, on explique que la perte de vitamines et minéraux des fruits et légumes n'a pas d'importance

1. *Idem.*

puisque, en phase de préparation industrielle, ces derniers sont souvent fortifiés. Une solution qui permet de ne pas remettre en cause le « système » et évite d'ouvrir les yeux sur les raisons de la dégradation de l'alimentation, comportement typique de l'industrie agroalimentaire lorsqu'elle a à gérer une crise. Qu'on se souvienne du comportement du secteur de la viande lorsque surgit une vague d'intoxication [1] à l'*Escherichia coli 1057 : H7*.

Ensuite, agir dans les coulisses.

Et là, instinctivement, le premier réflexe de l'industrie est de chercher à profiter de la situation. La preuve ? En décembre 2004, sous la houlette du docteur Donald Davis de l'université du Texas, une étude a confirmé les recherches canadiennes et britanniques. Dans ses travaux, publiés par *The Journal of the American College of Nutrition*, le biochimiste démontre en effet une chute de la quantité de vitamines et minéraux dans quarante-trois plantes sélectionnées [2]. La conclusion faisant du bruit, immédiatement, en janvier 2005, *The Packer,* revue professionnelle des industriels des fruits et légumes, publie une colonne destinée à rassurer ses abonnés affirmant que le déclin de la valeur nutritionnelle des fruits et légumes américains peut aussi être une bonne nouvelle [3]. Pourquoi ? Parce que s'il veut consommer son quota de vitamines et minéraux, le client devra acheter plus de produits en contenant !

1. Voir *Toxic, op. cit.*
2. Http://news.bio-medicine.org/biology-news-3/Study-suggests-nutrient-decline-in-garden-crops-over-past-50-years-13740-1/.
3. Cité in *In Defense of Food, op.cit.*

Enfin, confirmant que l'attaque représente la meilleure des défenses, vient la phase ultime : celle qui consiste à lancer une critique « organisée » des études dénonciatrices, le but étant, à terme, de plonger le consommateur dans la confusion. Un écran de fumée n'est-il pas le meilleur gardien du *statu quo* ?

Dans *Toxic,* j'ai raconté comment les services de communication de l'industrie agroalimentaire répètent *ad nauseam* le même argument jusqu'à le transformer en une vérité. La méthode n'a pas varié. Depuis la publication des travaux d'Anne-Marie Mayer, et systématiquement à chaque recherche prouvant que nos fruits et légumes ont perdu de manière significative une part de leurs vertus sanitaires, l'excuse avancée est la même : les scientifiques comparent des données... incomparables. Mieux, ils se servent de méthodes de mesure plus affinées que dans le passé [1] et omettent de prendre en compte un certain nombre de facteurs comme le taux d'humidité [2].

Or l'argument est redoutable, parce que compréhensible par tous. Personne, en effet, ne peut nier l'amélioration des techniques scientifiques entre les années 1930 et aujourd'hui.

Et même si l'Anglaise Anne-Marie Mayer a déclaré avoir essayé de « compenser » le phénomène dans ses calculs, l'industrie agroalimentaire est parvenue à instiller le doute et à rendre le problème caduc.

---

1. Http://www.mindfully.org/Food/Lack-Yesterdays-Nutrition6jul02.htm.
2. Http://news.bio-medicine.org/biology-news-3/Study-suggests-nutrient-decline-in-garden-crops-over-past-50-years-13740-1/.

Du moins jusqu'aux travaux de Brian Halweil.

*

Spécialiste des questions agricoles et alimentaires au sein de l'association indépendante Worldwatch Institute [1], Brian Halweil a témoigné à de nombreuses reprises devant le Sénat américain sur des questions aussi variées que la biotechnologie ou la faim dans le monde. Défenseur de l'agriculture biologique et de la nécessité de trouver un modèle de développement durable pour satisfaire nos besoins alimentaires, Halweil s'est attaqué en 2007 à l'évolution nutritionnelle des aliments.

Ses conclusions, réunies dans un rapport de 48 pages [2], sont d'autant plus capitales que, dépassant le cadre des fruits et légumes, elles comparent les qualités de la viande, des poissons et des produits laitiers.

Mieux, connaissant les arguments de défense de l'industrie agroalimentaire, Halweil les a rendus inopérants d'une manière redoutablement efficace. Souhaitant comparer uniquement ce qui pouvait l'être, il a exclusivement utilisé les outils de mesure disponibles à l'époque des relevés originaux de statistiques. Ainsi, au lieu de recourir à une technologie contemporaine, il est revenu à celle servant en 1963, son mètre-étalon.

Résultat ? Au fil des quarante dernières années, la viande est devenue plus grasse et moins riche en fer. Les produits laitiers, plus gras aussi, ont vu leur

1. Http://www.worldwatch.org.
2. « Still No Free Lunch », http://organic.insightd.net/science.latest.php ?action=view&report_id=115.

taux de calcium chuter. Même phénomène du côté des fruits et légumes : des tomates aux poires en passant par les carottes et oranges, tous ont perdu une part essentielle de leurs qualités nutritionnelles.

Faisant écho aux oranges de l'étude canadienne, Halweil écrit donc qu'il faut aujourd'hui manger trois pommes pour acquérir les mêmes nutriments qu'avec une pomme des années 1960.

Dans le catalogue des vitamines, minéraux et composants essentiels en voie de disparition, Halweil, comme l'a d'ailleurs noté de son côté Anne-Marie Mayer, constate une exception. Un élément dont la présence augmente.

Un élément qui est à la fois l'explication du phénomène et à l'origine d'une sérieuse mise en garde du professeur Willet.

15

Effet

L'eau.

Quel est le point commun entre les tomates [1] américaines, le brocoli [2] consommé au Canada et l'épinard [3] anglais au vu de ces analyses ? L'eau. Une présence accrue d'eau. Alors que les vitamines, antioxydants et minéraux contenus dans les fruits et légumes sont en grande baisse, la teneur en eau des aliments frais n'a même jamais été aussi importante.

---

1. Depuis 1963, la tomate a perdu 30,7 % de ses vitamines A ; 16,9 % de sa vitamine C ; 61,5 % de son calcium et 9 % de son potassium. Voir le premier volume de *Toxic* où j'établissais le « curieux » parcours suivi par une tomate avant d'arriver dans notre assiette : notamment bain de chlore, chambre de maturation, gazage, injection d'un colorant...

2. Le brocoli, souvent considéré comme le symbole d'une nourriture saine, a perdu en un demi-siècle plus de 60 % de son contenu en calcium et plus d'un tiers de son fer.

3. Depuis 1936, l'épinard a perdu 96 % de son cuivre, 53 % de son potassium, 70 % de son phosphore et 60 % de son fer.

Ce changement fondamental ne tient à aucun mystère de l'évolution puisqu'il est plus basiquement – et sinistrement serais-je tenté d'écrire – le résultat des systèmes de culture actuels. Comme l'écrit Anne-Marie Mayer : « L'augmentation significative de l'eau contenue dans les fruits est l'indicateur d'un mode de production concentré sur le rendement [1]. »

Les conclusions de Brian Halweil sont similaires. Constatant à son tour ce phénomène, il note : « Nous produisons plus de nourriture mais moins de nutriments. L'agriculture moderne augmente le rendement certes, mais rien d'autre [2]. »

*

Ce phénomène a été théorisé pour la première fois en 1981 par Wesley Jarrell [3], un ingénieur agronome qui l'a résumé sous le terme « effet de dilution ».

Ce scientifique fut le premier à constater que le déclin de la valeur nutritionnelle des fruits et légumes allait de pair avec l'extension des techniques de cultures modernes telles que l'irrigation intensive et l'usage d'engrais chimiques. En clair, cela signifie qu'entre le début du XXe siècle et la fin de la Seconde Guerre mondiale le contenu en nutriments de ces produits n'a quasiment pas évolué mais qu'ensuite, pour cause de production de masse, leurs valeurs intrinsèques se sont

1. Anne-Marie Mayer, « Historical Changes in the Mineral Content of Fruits and Vegetables », *op. cit.*

2. *Idem.*

3. « The Dilution Effect in Plant Nutrition Studies », *Advances in Agronomy*, Issue # 34, 1981.

effondrées. Une tendance, comme le démontre de son côté Halweil, qui n'a pas ralenti depuis.

En lisant aujourd'hui le rapport de Jarrell, il est impossible de ne pas souligner sa clairvoyance. Non seulement, l'analyse de l'ingénieur agronome est exacte mais ses travaux étaient aussi prophétiques que prémonitoires. N'écrivait-il pas : « L'adoption massive des techniques d'accroissement du rendement, comme la fertilisation et l'irrigation, risque d'entraîner une diminution conséquente de la concentration de nutriments des fruits et légumes [1]. »

À en juger par les chiffres constatés aujourd'hui, force est en tout cas d'admettre que la mise en garde de Wesley Jarrell a été... superbement ignorée.

*

La recommandation de Walter Willet prend dorénavant tout son sens. Si ce professeur de Harvard recommande la prise quotidienne d'une multivitamine, c'est parce que la nourriture moderne n'est plus capable de fournir à l'être humain occidental les quatre-vingt-dix nutriments essentiels [2] dont il a besoin pour vivre bien.

Comme l'écrit de son côté l'expert en nutrition Joel D. Wallach : « Historiquement, nous trouvions tout ce dont l'organisme a besoin dans la nourriture. Mais ces éléments ont disparu. Soit ils sont totalement absents, soit leur présence dépend d'une somme telle

1. *Idem.*
2. 60 minéraux, 16 vitamines, 12 amino-acides essentiels et trois acides gras essentiels.

de variables que l'on a plus de chances de gagner le jackpot à Las Vegas sur un coup de dés [1]. »

La soudaine anémie des fruits et légumes ne peut évidemment demeurer sans conséquence sur la santé. Comme le signalait du reste avec inquiétude Anne-Marie Mayer. Alors qu'elle recommandait aux autorités compétentes d'étudier les effets de cette dégradation sur l'organisme, à l'instar de l'avertissement Jarrell voilà bientôt trente ans, son avis a été négligé. Pourquoi ? Parce que c'est le sort de tous les rapports que de tomber dans l'oubli ou parce qu'il valait mieux, au nom d'intérêts bien compris, ne pas en tenir compte ?

*

Mais oublions un instant cette interrogation pour comprendre comment chacun de nos coups de fourchette a des conséquences sur le monde dans lequel nous vivons et que nous allons léguer à nos enfants. Car il faut assumer collectivement notre responsabilité. Notamment envers l'environnement. Il ne fait aucun doute que la perte des nutriments constatée résulte de la modernisation de l'agriculture. Il convient donc de se plonger dans les mécanismes l'ayant entraînée pour en mesurer les véritables conséquences. Qui, elles, ne se résoudront pas à coups de pilules multivitaminées.

Disons-le sans détour : en nous nourrissant d'aliments appauvris, nous payons le prix de la révolution agricole entamée voilà cinquante ans par

1. Cité dans *The Hundred-Year Lie* de Randall Fitzgerald, Plume Book, 2007. Voir aussi http://www.preventativeconcept.com/library/nutrition/exercise_suicide.shtml.

l'industrie chimique. La dégradation qualitative de nos produits frais en est une conséquence directe.

La présence accrue d'eau et la diminution en vitamines et minéraux ? C'est le résultat, nous l'avons vu, d'une irrigation continue et souvent massive. Une pratique dont les effets dépassent le cadre de notre seule nourriture. Ainsi, plus que le constat du réchauffement de la planète, c'est bel et bien cette méthode qui entraîne l'appauvrissement voire l'assèchement de nombreuses nappes phréatiques. Une sécheresse qui devient l'un des enjeux du siècle.

La course à la productivité, responsable du gaspillage des ressources naturelles comme l'eau, tient aussi au recours exagéré aux fertilisants chimiques. Or les pesticides, herbicides et fongicides nécessaires à la production de masse dont nos systèmes – la France, troisième utilisateur mondial, en tête – sont friands, ont des effets néfastes sur les aliments. Non seulement ils propulsent dans les assiettes des produits débordant de substances chimiques dont certaines cancérigènes, mais en plus ils sont à l'origine de la dégradation gustative des fruits et légumes. Il est ainsi démontré que le nitrogène interfère avec la capacité d'une plante à synthétiser la vitamine C. Les fertilisants contenant du potassium limitent quant à eux le taux de phosphore d'un fruit. Autant d'interactions chimiques pernicieuses. Et de répercussions, comme le démontre une multitude d'études citées par Brian Halweil, non constatées chez les fruits et légumes issus de l'agriculture biologique, eux bien plus riches en vitamines, minéraux et antioxydants [1] !

1. *Idem*. Voir aussi « Organic Fruits and Vegetables Work Harder for their Nutriments », *San Francisco Chronicle*, 25 mars 2006, http://www.sfgate.com.

L'action des engrais chimiques ne s'arrête pas là, hélas ! Car l'appauvrissement des aliments tient aussi à une inquiétante dégradation de la qualité des sols. Lors de la conférence sur l'environnement et le développement organisée en 1992 à Rio de Janeiro par les Nations unies, un signal d'alarme avait été tiré sur ce point. On avait en effet appris que les sols européens avaient perdu 72 % des minéraux nécessaires à une bonne fertilité. Et que cette proportion, aux États-Unis, entraînant une quasi-stérilité, dépassait les 85 %. Un rapport précisait que certains sols de grosses exploitations américaines analysés, pollués à cause de l'usage massif et constant de fertilisants, avaient perdu la... totalité de leurs nutriments ! Désormais, la terre s'y résume à une sorte de réceptacle où, à l'aide d'eau et de produits chimiques, l'industrie agricole fait pousser ses produits.

Gaspillage des ressources en eau, détérioration de la qualité des sols, la course à la productivité agricole a une autre conséquence : la disparition de la variété.

*

Ne nous y trompons pas : la présence de certaines sortes de fruits et légumes toute l'année sur les étals ne signifie en rien une augmentation de la diversité.

Dans *The End of Food*[1], le journaliste scientifique Thomas F. Pawlick a calculé que, par exemple, le choix offert en tomates équivaut à seulement 0,25 % des variétés existantes dans le monde. Ainsi,

1. Thomas F. Pawlick, *The End of Food*, Barricade Books, 2006.

sur les 5 500 espèces connues et cultivables, les États-Unis et le Canada se concentrent seulement sur 11. Parmi lesquelles la Florida 47, qui représente 35,9 % de la consommation nord-américaine. Un phénomène quasi identique en Europe où six variétés de tomates représentent 80 % de la production [1].

Cette tendance à l'uniformisation touche l'ensemble des fruits et légumes.

Dans l'Idaho, royaume américain de la pomme de terre, on en cultive principalement 2 variétés, loin des 575 références répertoriées par la base de données de l'université de Washington State [2]. La première, la Russet Burbank, répond aux exigences de l'industrie du fast-food. Comme McDonald's souhaitait une pomme de terre résistant au processus de congélation puis à la friture à haute température, la Burbank est donc devenue une star. Une vedette phagocytant l'essentiel de la production, bien soutenue par l'industrie agroalimentaire qui a trouvé un argument de poids pour convaincre les agriculteurs de se lancer dans cette monoculture : 90 % des frites congelées sont vendues en Amérique du Nord dans les restaurants. Dès lors, la frite est une machine à faire de l'argent aussi rentable que la vente de sodas. Car, alors que, en moyenne, McDonald's achète ses frites congelées à soixante *cents* le kilo, une fois cuites elles sont revendues... douze dollars [3] !

La seconde variété, la Ranger, est un dérivé de la famille des Russet. Dont la production répond aux

---

1. *Idem.*
2. Http://potatoes.wsu.edu/varieties/vars-all.htm.
3. L'agriculteur, lui, reçoit donc seulement 16 cents sur les 12 dollars facturés aux clients.

exigences, cette fois, des producteurs de chips pour apéritif type Frito-Lay. Et pour cause, cette pomme de terre est la plus riche en... sucres. Et donc la plus à même d'augmenter la consommation de chips. Pourquoi ? Parce qu'une fois cuite dans l'huile puis trempée dans le sel, cette alchimie sucré-salé la transforme en arme fatale. Nos papilles, contrôlées par l'ADN, lui-même conditionné depuis des millénaires à aimer le salé, le gras et le doux, s'affolent et deviennent incapables de résister au mélange.

Résultat ? Avec le développement des fast-foods et l'habitude bien ancrée de multiplier la consommation de snacks à toute heure, on voit celle des pommes de terre s'amplifier depuis des années, courbe ascendante parallèle à celle de la pandémie d'obésité. À mesure que le tour de taille de l'Américain moyen s'alourdit de graisse, l'appétit du pays pour la patate a explosé, passant de 240 millions de tonnes au début des années 1980 à presque 350 millions aujourd'hui [1].

La pomme de terre est même devenue le légume le plus consommé aux États-Unis. Suivie par la tomate, rang qu'elle occupe grâce à la consommation de frites ! Ne faut-il pas accompagner ces dernières de leur condiment de prédilection : le ketchup ?

*

L'exemple américain avec surconsommation de chips, frites et ketchup pourrait prêter à sourire, si – une fois encore – le reste de la planète n'adoptait

1. Chiffres fournis par Joseph Guenthner dans sa présentation « *Tomorrow's opportunities in the potato industry* » lors de l'Idaho Potato Conference du 19 janvier 2006.

pas un mode de consommation similaire. Qu'on en juge.

L'exploration de nouveaux marchés est l'un des thèmes récurrents du rendez-vous annuel de l'Idaho Potato Conference à Pocatello. En janvier 2006, citant une étude réalisée par l'International Potato Center (CIP), Joseph Guenthner, professeur d'économie agricole à l'université de l'Idaho, révélait que « toutes les régions du monde allaient manger plus de pommes de terre d'ici 2020 [1] ». Et précisait que trois marchés attisaient les convoitises. L'Europe d'abord, le plus gros consommateur au monde avec près de quatre-vingts kilos par personne, suivie de la Chine et de l'Inde.

Certains contesteront qu'en elle-même une augmentation de consommation d'un légume soit inquiétante. C'est oublier que le développement prédit par le CIP est fondé sur un phénomène bien spécifique : la prolifération des enseignes de la restauration rapide commercialisant des frites ! Donc la généralisation du mode alimentaire qui y est lié.

« La plus forte progression en pourcentage concernera les pays en voie de développement, prédisait Guenthner. La consommation dans les deux pays les plus peuplés au monde – l'Inde et la Chine – devrait croître annuellement de 2,8 % et 3,8 %. À l'origine de cette popularité des pommes de terre, on trouve la restauration rapide. À tel point que, grâce à elle, la Chine et l'Inde importent désormais des frites congelées [2]. »

*

1. *Idem.*
2. *Idem.*

L'exemple de la pomme de terre n'est en rien anodin. D'une certaine manière, ce féculent joue même le rôle de symbole. Car, lié à la pandémie d'obésité, il est aussi l'une des premières victimes de l'appauvrissement des produits frais. Devenue source de revenus importante, la patate a été, en quelque sorte, victime de son succès. Car dorénavant – étrange clin d'œil au darwinisme et à la théorie de l'évolution –, seule sa variété adaptée par l'homme aux besoins et vœux de l'industrie agroalimentaire prospère.

Intrigué par cette interprétation moderne de la loi relative à la survie du plus fort, Thomas Pawlick [1] s'est intéressé aux motivations des producteurs et des gros acheteurs. Et a demandé à plusieurs d'entre eux les critères présidant au choix, donc à la survie et à la prolifération d'une variété par rapport aux autres.

Sans surprise, quel que soit le légume ou le fruit, la productivité arrive en tête de leurs réponses. Plus un aliment « donne » au mètre carré, plus l'industrie se tourne vers lui. Lorsque, en outre, il permet plusieurs récoltes annuelles, alors il devient un champion.

Les autres facteurs évoqués, et révélés par l'enquête de Pawlick, touchent aux capacités de... conditionnement du produit. Non à ses vertus gustatives, culinaires, à ses apports en vitamines, mais à l'éventail de traitements et présentations qu'il offre. Parce que la richesse d'un produit frais réside dans sa valeur ajoutée une fois transformé. Prenons un exemple. La marge, sur un kilo de tomates fraîches, est limitée. En revanche, celle permise par une

1. *The End of Food, op.cit.*

bouteille de ketchup ou de sauce pour spaghettis s'avère beaucoup plus large. Quand un industriel sélectionne une variété, il opte donc pour celle qui s'adapte idéalement à la palette de dérivés possibles. Ce sont les pommes de terre douces pour les chips et les tomates riches en chair afin de créer une sauce épaisse.

Productivité, transformabilité... Le constat est cruel. Dans la liste de préoccupations des industriels, une donnée brille par son absence : le goût. Jamais cette qualité ne relève à leurs yeux du facteur déterminant de sélection !

*

Le goût...

Même s'il s'agit d'un sujet difficile à quantifier, à évoquer aussi, comment ne pas s'engager sur ce terrain-là ? Certes Proust l'a évoqué avec immensément plus de talent que je ne saurais le faire, mais comment refuser un bond en arrière vers le jardin de mon grand-père paternel ? Car ma madeleine, ce sont ces tomates gorgées de soleil, qui se dévoraient à peine cueillies et ne nécessitaient aucun arôme ajouté pour affoler les gourmands. Un véritable plaisir à l'état pur.

Eh bien, le goût si particulier des tomates de mon grand-père a disparu des supermarchés. Et pas seulement parce qu'il est baigné de nostalgie. Cette absence est on ne peut plus logique : les tomates de mon enfance n'existent plus [1]. Non calibrées, trop

---

1. Il faut reconnaître que la plupart des tomates issues de l'agriculture biologique s'approchent de cette sensation du passé.

fragiles, irrégulières, mûres trop vite, de couleurs insuffisamment uniformes, elles ne correspondent pas aux canons définis par l'agro-business. Seul leur goût aurait pu permettre de les qualifier mais, nous l'avons vu, cette qualité-là ne figure pas dans la liste des critères de choix.

*

Comme s'il s'agissait indirectement de fermer la boucle, ce renoncement au goût, que personne ne revendique dans les hautes sphères de l'agroalimentaire, est lié à la disparition progressive des vitamines, minéraux et antioxydants des fruits et légumes. Aujourd'hui, la plupart des variétés consommées sont des hybrides. Des produits dont les multiples croisements sont effectués au nom d'un seul objectif : augmenter le rendement.

Or Brian Halweil [1] a constaté que les hybrides sont les variétés de fruits et légumes ayant le plus perdu de nutriments au fil des ans. Non seulement leur monoculture intensive a appauvri le sol mais le chercheur note que, bien souvent, leurs racines sont moins profondes et moins « ancrées » que celles d'un légume issu de l'agriculture biologique. Une découverte fondamentale puisque c'est dans les profondeurs de la terre que le fruit et le légume puisent les éléments essentiels dont ils ont besoin, et nous aussi.

Les conclusions d'Halweil sont confirmées par les travaux de Donald Davis au Texas. Utilisant les statistiques fournies par l'USDA, l'équivalent américain du ministère de l'Agriculture, ce dernier

1. « Still No Free Lunch », *op.cit.*

démontre qu'en moyenne un plant « amélioré » par le croisement recèle 1/3 de zinc en moins et 28 % de fer en moins qu'un jamais croisé.

Le plus étonnant, c'est que ce phénomène dépasse les seuls fruits et légumes. Ainsi, chaque fois que l'agriculture moderne croise ou manipule une espèce animale afin d'en augmenter le rendement, c'est le consommateur qui en subit les dégâts.

Le cas du lait est frappant. Bien sûr, à force de croisements, et « progrès » scientifiques, la production a été triplée depuis 1950. Mais à quel prix ? Celui, considérable, de la chute de sa valeur nutritionnelle. Depuis 1963, le lait a ni plus ni moins perdu 13,1 % de son phosphore, plus de la moitié de son fer et... 36,1 % de son calcium !

Plus incroyable, et phénomène directement lié à une alimentation industrielle qui éloigne l'animal des verts pâturages, dorénavant les vaches donnent un lait qui contient 76,85 % de sodium en plus qu'il y a quarante-six ans et 7,3 % de matière grasse supplémentaire !

Il ne s'agit en rien d'une exception. Le poulet, dont la consommation est en perpétuelle hausse, est « victime » de la même tendance.

Si, depuis 1963, le blanc de poulet a perdu plus de la moitié de ses vitamines A et presque autant de son potassium, en revanche, il a gagné près d'un tiers de gras et 20,3 % de sodium.

Dans ces données réside le côté kafkaïen, Dr Folamour presque, de la situation actuelle. Soucieuse d'augmenter les cadences de production, donc ses bénéfices, l'agriculture moderne a vidé les fruits et légumes de leurs nutriments et, en augmentant les taux de sel et de gras, planté les germes de nos maux actuels.

*

Cela ne fait aucun doute : l'appauvrissement des qualités des produits frais comme la disparition de la variété, l'altération du goût comme la prépondérance d'espèces hybrides sont les conséquences de la course à la productivité. À propos de laquelle nous devons accepter d'assumer une part de responsabilité. Car c'est notre désir de disposer en toute saison de produits autrefois introuvables et à des tarifs abordables qui a alimenté cette révolution néfaste.

Une révolution dont l'addition n'est pas celle que nous imaginions mais qu'il nous faut aujourd'hui payer. Son vrai prix, bien plus exorbitant comme en témoignent les enfants rachitiques de Californie, se mesure en terme de santé. Comme l'écrivait Hippocrate, notre nourriture est la première source de notre bien-être. À nous de refuser qu'elle soit à l'origine de notre déclin.

16

Saindoux

Déclin.

Jamais l'expression ne m'a paru si juste.

L'Amérique, déjà difforme, est bien malade de sa toxic food.

Malade à en crever même.

*

Il faut le répéter encore et encore : l'obésité est uniquement la face visible du mal. Pour mesurer l'ampleur de la crise, il faut plonger dans la liste des dix principales causes de décès aux États-Unis. Et constater que les dégâts liés au mode alimentaire américain trustent ce terrifiant palmarès.

En première place figurent toujours les maladies cardiaques, dont la majorité découle d'une nourriture trop riche en sucres, graisses, sel et... produits industriels. Viennent ensuite les cancers, pour beaucoup – nous le verrons – déclenchés par des facteurs environnementaux où l'alimentation occupe une place de choix.

Plus étonnant, les soins médicaux arrivent à la troisième place de cette liste. Près de 110 000 Américains décèdent en effet chaque année des effets secondaires d'un médicament [1].

Quel rapport avec la toxicité de l'alimentation ? Il est simple et compliqué à la fois.

Le premier niveau d'explication est lié à notre attitude face à la maladie. Nos sociétés – et pas seulement de l'autre côté de l'Atlantique – ont pris la mauvaise habitude de vouloir trouver une réponse médicamenteuse à tous les problèmes nés du contenu de nos assiettes. Résultat ? L'hypertension, le cholestérol, le diabète et autres tracas suscités par la nouvelle malbouffe sont presque exclusivement traités via des prescriptions médicales. Ce qui fragilise l'organisme et n'est pas sans répercussions sanitaires. Le recours aux « solutions » apportées par l'industrie pharmaceutique chez des patients de plus en plus jeunes entraîne en effet à terme une surconsommation permanente de pilules et autres cachets. Or ce sont ces malades-là, ceux qui jonglent avec les gélules et ajoutent malgré eux du chimique à une nourriture déjà saturée de ce genre de substance, qui apparaissent en tête de liste des décès surprenants.

Le second aspect de l'explication, plus complexe, touche à la sorte d'« abandon psychologique » que crée ce recours aux prescriptions comme solution miracle. Il est ainsi fréquent de voir des malades, rassurés par la « béquille » d'une poignée de pilules

---

1. Au total, lorsque l'on ajoute les infections en milieu hospitalier, les erreurs de diagnostic et les interventions chirurgicales, près de 250 000 Américains décèdent chaque année après des soins médicaux.

en cas de problème, continuer à engouffrer la nourriture industrielle à l'origine de leur mal. Des consommateurs qui, malgré leur traitement, meurent du fléau que la prescription était censée soigner.

Hélas ! cette réalité ne se limite pas à une simple « cohabitation », à une corrélation entre médicaments et toxic food. Typiquement américain, il s'agit plutôt d'un phénomène souvent poussé à l'extrême.

*

Chandler, en Arizona, malgré son festival annuel de l'autruche [1] et différentes installations du géant de l'électronique Intel, ressemble à des centaines de villes américaines. Celles que les touristes ne visitent jamais. Et pour cause : ici les longues avenues n'ont aucune âme, les chaussées sont défoncées et les panneaux publicitaires pullulent dans une complète anarchie. Chandler est située au sud-est de Phoenix mais pourrait se trouver à proximité de Dallas, Chicago, Los Angeles ou Pittsburgh. On en vient à se dire que traverser l'Amérique, c'est un peu être condamné à vivre, jour après jour, la même expérience. Renforçant cette impression, on remarque en effet les mêmes enseignes commerciales que partout ailleurs. Et, plus particulièrement, celles, criardes, de la restauration.

Comme à Rio Grande City, toutes les marques de junk food se sont donné rendez-vous à Chandler.

---

1. Dans les années 1910, Chandler était un centre important d'élevage d'autruches, leurs plumes étant recherchées pour décorer les chapeaux des Américaines. Http://www.ostrichfestival.com/.

Toutes et une autre. Un cas unique. Un voyage vers le futur.

Situé à l'arrière d'une station-service, le *Heart Attack Grill*[1] ne s'offre pas au conducteur lambda installé derrière son volant. Ici, aucun panneau publicitaire ne promet un éden alimentaire. Il n'y en a pas besoin, à vrai dire, puisqu'on vient dans l'établissement de Jon Basso en connaissance de cause. Son chiffre d'affaires imposant fait autant la réputation des lieux que son slogan choc : *Heart Attack Grill, un goût bon à en mourir.*

On pourrait sourire, mais Basso ne plaisante pas. Comme il le proclame fièrement sur sa devanture en forme de mise en garde, la nourriture vendue ici est « mauvaise pour la santé ». Et l'inventeur du concept sait de quoi il parle : ancien nutritionniste puis gérant de salles de sport, il a compris, en 2005, qu'il y avait plus d'argent à gagner à flatter les mauvaises habitudes alimentaires des Américains qu'à tenter de les corriger.

Son restaurant, unique en son genre, est né de ce constat. Et son menu l'illustre à merveille, si je puis dire. À cause des énormes hamburgers qui ont fait la réputation du lieu, mais aussi du reste.

Les boissons d'abord.

Le *Heart Attack Grill* est l'un des rares fast-foods vendant de l'alcool. De la bière bien sûr, mais aussi des produits beaucoup plus forts.

Ensuite, il y a le Coca-Cola. Importé du Mexique voisin, le soda est proposé dans sa version pur sucre. Car, comme l'explique Jon, les produits à base d'édulcorants sont bannis. Non parce que Basso s'inquiète de leur composition chimique,

1. Littéralement « le grill de la crise cardiaque ».

mais parce que, dit-il, plus pauvres en calories, ils ne correspondent en rien à la philosophie des lieux.

Depuis peu, une nouveauté est apparue : le Jolt Cola. Cette boisson, sorte de Coke sous amphétamines, est le soda le plus riche en caféine du monde. Déconseillé aux enfants, femmes enceintes et personnes âgées, le Jolt est réputé pour le coup de fouet, les frissons et tremblements qu'il procure.

La suite est à l'avenant.

Le menu créé par Basso propose par exemple des... cigarettes. Qui, bien entendu, conformes au discours de l'établissement, sont vendues uniquement sans filtre.

Les frites ne sont pas en reste. Disponibles à volonté en self-service, elles sont fort généreusement saupoudrées de sel. De plus, gratuitement, le client peut les recouvrir de fromage fondu. Mais c'est en cuisine que ces pommes de terre ont subi leur pire modification. Au *Heart Attack Grill*, les *flatliners fries* ne sont en effet pas cuites dans le traditionnel bain d'huile mais uniquement dans du saindoux !

Le saindoux, le *Heart Attack Grill* en consomme plus de deux cents kilos par semaine. Car, en plus des frites, Jon en met dans ses trois cent cinquante hamburgers vendus quotidiennement. Chaque pain se voit ainsi badigeonné de gras de porc rendant le produit final encore plus fondant.

Les hamburgers sont donc le plat de résistance du restaurant.

Il en existe quatre modèles. Dont le plus cher et gros frôle les treize dollars et atteint les... huit mille calories. Non, non, il ne s'agit pas d'une erreur de frappe. Chez Jon, le « quadruple » – c'est son nom – offre l'apport calorique conseillé à un homme adulte pour trois jours. Les mensurations du monstre sont à la hauteur du massacre diététique. En plus de ses deux brioches au saindoux, il contient huit tranches de fromage et quatre steaks hachés d'un poids approchant le kilo de viande. Un oignon – que l'on peut commander frit – vient agrémenter le tout. Autre option : vingt-quatre tranches de bacon...

Seules les quelques feuilles de salade habituelles à la recette du hamburger manquent à l'appel. Non par oubli ou erreur mais parce que Jon a décidé, et revendique, de commercialiser le pire de la junk food. Et uniquement cela [1].

Cette promesse, cet engagement même, ainsi que les risques sanitaires qui les accompagnent, sont au cœur de la stratégie de Basso. N'a-t-il pas imaginé un décor pour son petit restaurant de quarante tabourets qui ressemble à une salle d'hôpital ?

Ici, les serveuses sont en effet des « infirmières ». Qui revêtent l'uniforme, une tenue blanc et rouge agrémentée d'un décolleté profond pour séduire la clientèle essentiellement masculine. Les clients pour Jon – qui porte, lui, une blouse blanche et se fait appeler docteur – sont des « patients ». Et leur commande, une « ordonnance ».

Le gimmick médical est utilisé jusqu'à la nausée. À la fin du repas, les infirmières prennent souvent la tension du patient. Il faut reconnaître, ceci dit, qu'engouffrer l'équivalent de neuf repas en une dizaine de minutes affecte terriblement l'organisme. C'est pour cela du reste que les patients sont raccompagnés en fauteuil roulant jusqu'à leur voiture !

---

1. Basso vend également différents t-shirts souvenirs hautement revendicatifs. Point commun entre tous, aucun n'est fabriqué dans une taille inférieure au XXL et tous sont disponibles jusqu'en taille 10XL.

Quant aux noms des hamburgers, ils sont à l'avenant. Le simple s'appelle le « pontage » et, logiquement, le monstre aux huit mille calories le « quadruple pontage ».

Ces appellations ne relèvent pas seulement de la bonne idée marketing. Car les noms des burgers du Grill sont à la hauteur des risques encourus. Comme le dit Basso, sourire aux lèvres : « Si vous mangez chez moi tous les jours, cela va vous tuer. »

La remarque fait sourire les « patients ». Ici, chacun semble assumer le plaisir de se nourrir à l'extrême et classe le conseil du « docteur Jon » dans la catégorie des boutades.

De fait, la clientèle du *Heart Attack Grill* est en majorité constituée d'habitués. Et d'obèses. Qui, bien souvent, mangent gratuitement. Pourquoi ? Parce que s'il le désire chaque patient se voit pesé à son arrivée. Et, s'il dépasse les cent soixante kilos, devient l'invité de Basso.

Reste que les hamburgers trop grands pour tenir dans une main et les clients à deux doigts de vomir, le front luisant de transpiration et les joues barbouillées de saindoux, ne sont pas ce qu'il y a de plus choquant dans le petit restaurant de Chandler, Arizona.

Non, comme un affreux écho à ce que j'écrivais plus haut, le plus scandaleux, c'est de constater que les « patients » de John avalent des pilules avant de se lancer à la conquête de ces Everest du pire.

La clientèle du *Heart Attack Grill*, malade à en mourir, se dope en effet aux médicaments anticholestérol et autres régulateurs de tension dès qu'elle met un pied dans l'établissement. Une sorte d'antidote – fictive – avant de s'abandonner sans remords à un orgasme de gras.

*

Jon Basso est un entrepreneur ambitieux. Ayant découvert, grâce à ses anciennes activités, la pandémie d'obésité, il en connaît les mécanismes et, aujourd'hui, les transforme en recettes de son propre succès. Un succès que le « bon docteur » songe à développer, étendre même. Aux États-Unis, bien entendu, vaste territoire. Mais Basso a une autre idée en tête. Sachant que la polémique est un solide vecteur de ventes, il vise quelques villes emblématiques. Au programme, Hollywood, La Nouvelle-Orléans et Rio de Janeiro. Et, si tout fonctionne comme prévu, dans quelques années Amsterdam et... Paris.

Bon appétit.

17

Précurseur

Le *Heart Attack Grill* relève, certes, de l'aberration. De l'expérience ultime. Mais le restaurant de Jon Basso est loin d'être un cas isolé. Et si cet entrepreneur de Chandler a pris soin de déposer sa marque, ce n'est pas pour rien. Il sait combien la mentalité du « Je mange ce que je veux » qui garantit son succès gagne le territoire américain. La tendance ne se limite pas aux hamburgers gargantuesques. Désormais, le format géant se décline en effet dans tous les registres culinaires.

C'est une différence majeure entre l'Amérique alimentaire décrite dans *Toxic* et celle constatée aujourd'hui. Bien sûr, à l'époque, je mentionnais déjà l'émergence de la *pornography food* tandis que McDonald's, Burger King et consorts renonçaient à la portion de frites grande taille et renforçaient leurs gammes de salades.

Mais, entre-temps, comme le reste du monde, l'Amérique est entrée en récession. Or – bien que cela surprenne – augmenter la taille des plats est un symptôme de crise. Alors que le consommateur dépense avec prudence, annoncer lui « en donner pour son argent » relève de la combinaison gagnante. Aussi, en plus des restaurants proposant des plats géants, les grandes chaînes de fast-foods elles-mêmes agrandissent les portions. Avec discrétion, bien sûr, tant se lancer dans la surenchère calorique alors qu'on essaie parallèlement de rejeter toute responsabilité dans le développement de l'obésité n'est pas politiquement correct, mais la vérité est là. Désormais, de McDonald's à Wendy's en passant par Burger King et Whataburger, tous proposent au moins un sandwich de taille conséquente. Un geste qui, finalement, ne coûte guère plus mais rapporte bien davantage en assurant un taux de clientèle élevé.

Les répercussions de ce revirement dépassent le seul cadre de la restauration. Dans les rayons congelés des supermarchés, des produits avec package XXL sont apparus pour séduire la clientèle masculine. Début 2009, même la télévision a suivi le mouvement. Avec, le mercredi soir, sur Travel Channel, deux numéros de *Man vs Food*[1].

Le concept est simple mais efficace. Chaque semaine, Adam Richman part à la découverte d'une nouvelle ville des États-Unis. Non pour mettre en avant le patrimoine culturel ou historique, mais pour pousser la porte des restaurants et affronter un plat géant. Comme s'il entreprenait un défi sportif, Richman tente l'impossible : terminer les plats proposés dans un délai imparti assez bref. Or, qu'il s'agisse d'un dessert pesant près de deux kilos à San Antonio,

1. Littéralement « L'homme contre la nourriture », http://www.travelchannel.com/TV_Shows/Man_v_Food.

d'une pizza de six kilos à Atlanta, d'une omelette réalisée avec une douzaine d'œufs à Seattle ou d'une saucisse d'un mètre à Minneapolis, l'homme terrasse quasiment toujours la nourriture [1].

Alors que l'Amérique est malade de son poids, *Man vs Food* obtient un beau succès d'audience. Mieux, l'émission est devenue le programme le plus regardé de Travel Channel et pousse la concurrence à inventer des shows autour de l'excès de malbouffe.

Gag, détail, épiphénomène ? Peut-être. Mais n'oublions jamais que les États-Unis jouent, pour le meilleur et souvent le pire, un rôle de précurseurs. Et que nos habitudes alimentaires n'échappent pas à la règle et se voient, peu à peu, gagnées par ses influences. Si l'ère des repas géants n'a pas débuté de ce côté de l'Atlantique, elle commencera sans doute si la crise économique s'installe. La preuve ? Déjà en Angleterre, en Pologne et en Allemagne, des établissements proposent des spécialités locales en versions extra-larges.

*

Si le cas du *Heart Attack Grill* me semble symptomatique, ce n'est pas seulement parce qu'il dessine – en les exagérant – les lignes d'un cauchemar alimentaire futur. Selon moi, il illustre parfaitement le délire paroxystique américain, où des consommateurs malades condamnés à prendre chaque jour des médicaments refusent de renoncer aux causes de leurs maux.

---

1. À noter, parmi les échecs d'Adam, terminer un milkshake de 3 litres et demi. Une épreuve qui s'est achevée dans le... vomi.

Cet état d'esprit peut nous choquer, mais il correspond bien à la société américaine. Ainsi, les publicités ventant des comprimés contre le cholestérol, du sirop contre les digestions difficiles et des adresses de restauration rapide encadrent les programmes style *Man vs Food*. Dès lors, habitué à une réponse chimique ou médicale à ses maux, l'Américain espère une solution miracle et facile à avaler. Et n'a pas envie de changer sa façon de manger.

Or son mode alimentaire, comme nous l'avons vu, le conduit précocement vers la tombe !

*

Pire, après les maladies cardiaques, les cancers et la surconsommation de médicaments, la quatrième cause de décès est, elle aussi, liée au « régime américain ». Il s'agit des accidents vasculaires cérébraux.

Si une attaque cérébrale peut naître pour des raisons génétiques ou être liée à une maladie spécifique, son principal facteur de risques réside dans une mauvaise hygiène de vie. Or l'obésité, en créant de l'hypertension artérielle, est la principale cause des attaques vasculaires cérébrales. En France, les AVC sont même la troisième cause de décès après les cancers et les problèmes cardiaques. Et la première cause des handicaps physiques acquis.

Au milieu de ce sinistre classement, les problèmes respiratoires chroniques précèdent les victimes d'accidents. Si le mode alimentaire américain n'est évidemment pas directement responsable de ces chiffres, il constitue, une fois encore, un facteur aggravant. Toute victime d'accident ou d'insuffisance respiratoire multiplie ses risques de décès si elle est obèse.

De fait, beaucoup des personnes décédées durant la première vague de contamination de la grippe A H1/N1 en 2009, tant côté américain que mexicain, se trouvaient en surpoids. L'obésité avait entraîné une série de complications fatales.

Le mode alimentaire américain est en outre largement responsable des morts liées aux diabètes, sixième cause de décès, qui augmentent de manière vertigineuse chaque année. Or, comme je le racontais déjà dans *Toxic*, nos assiettes sont les responsables majeures de cette maladie qui atteint des victimes de plus en plus jeunes.

Les décès liés aux grippes et pneumonie, puis ceux dus à la maladie d'Alzheimer, concluent ce classement macabre. Dans ces deux catégories, il est malheureusement encore possible de constater les dégâts d'un mode alimentaire destructeur. Parce qu'une partie des victimes de la grippe atteintes de maladies respiratoires trépassent à cause du surpoids. Et parce qu'Alzheimer, à l'instar de toutes les maladies neurologiques, est également un fléau parfois dépendant de facteurs environnementaux parmi lesquels figure l'alimentation industrielle.

*

On le voit : les dégâts liés au régime américain sont omniprésents dans ce classement [1]. Ce qui, à

---

1. L'ensemble de ces chiffres et classements proviennent des statistiques officielles du gouvernement américain. Et plus particulièrement de « Deaths : Leading Causes for 2000 », *National Vital Statistics Reports 2002* – www.cdc.gov/nchs/data/nvsr/nvsr50/nvsr50_16.pdf ; et de « Deaths : Leading Causes for 2004 », *National Vital Statistics Reports 2007* – www.cdc.gov/nchs/data/nvsr/nvsr56/nvsr56_05.pdf.

l'échelle des nations, produit un effet redoutable. En 2000, mesurant et comparant l'état de santé et l'espérance de vie des habitants de cent quatre-vingt-onze pays, l'OMS plaçait les États-Unis, pourtant première puissance mondiale, seulement à la vingt-quatrième place [1]. L'espérance de vie d'un enfant né en 1999 y était évaluée à 67,5 ans, contre 74,5 ans pour un bébé japonais – la première marche du podium. La France arrivait, elle, juste après l'Australie, dans le trio de tête.

En soi, ces informations démontrent les effets désastreux de l'industrialisation de la nourriture. Mais, afin de faire vaciller les sceptiques, il faut aller à la rencontre des trois autres phénomènes qui prouvent l'ampleur d'un risque nous concernant tous.

1. Http://www.who.int/inf-pr-2000/en/pr2000-life.html.

18

Explosion

L'exercice, redoutable, est à la portée de tous. Il suffit, pour s'y adonner, de feuilleter un album de photographies de famille. Ou, si vous n'en avez aucun à disposition, d'arpenter les brocantes le dimanche et musarder dans les cartes postales anciennes proposées à la vente. De celles en noir et blanc ou sépia en passant par les images montrant les premiers pas de la couleur, le challenge est identique : essayer de trouver parmi les foules d'anonymes immortalisés par les objectifs de photographes ambulants... un obèse. Que l'on soit en France, au Québec, aux États-Unis, en Allemagne ou ailleurs, la conclusion est toujours la même : l'excès de poids n'est en rien un phénomène courant dans le passé.

En fait, comme l'écrit David A. Kessler, ancien commissaire de l'US Food and Drug Administration durant les présidences de George H. Bush et Bill Clinton : « Durant des milliers d'années, le poids de l'être humain est resté remarquablement stable. Et, à l'âge adulte, nos ancêtres ne consommaient pas plus de nourriture que ce que leur organisme devait brûler. Les individus en surpoids se détachaient donc du reste de la population. Des millions de calories sont donc passés dans les organismes humains sans que, à de rares exceptions, le poids moyen augmente ou s'effondre de manière significative. Un système biologique parfait semblait contrôler le tout. Mais, quelque part, au cœur des années 1980, quelque chose a bouleversé cette régularité immuable [1]. »

*

Le constat de Kessler rejoint celui que j'ai moi-même effectué voilà quelques années dans *Toxic*. Il suffisait d'observer les chiffres de l'obésité pour constater que la courbe de prise de kilos avait sérieusement commencé à progresser au milieu des années 1970 puis s'était soudainement emballée une dizaine d'années plus tard.

J'avais, exemple parmi d'autres, raconté les déboires de la tribu des Indiens Pimas d'Arizona. Alors que ce peuple était réputé depuis des siècles pour son physique athlétique voire sa taille plutôt fine, brusquement, au milieu des années 1980, quelques cas d'obésité étaient apparus. Rapidement, le surpoids était même devenu la norme de cette réserve, avec une obésité atteignant 70 % de la population. Et, triste privilège, le pourcentage d'obésité enfantine le plus élevé du monde.

J'avais également montré, répondant d'une certaine manière par avance à la question de Kessler,

1. *The End of Overeating*, *op. cit.*

que cet état sanitaire pitoyable s'accompagnait d'une consommation quasi exclusive de nourriture industrielle. La toxic food, ayant envahi les assiettes des Pimas, avait déréglé des organismes jusque-là sains et mis à mal des gènes incapables de s'adapter à un nouveau régime [1].

J'avais même prouvé que cette progression rapide correspondait au début de l'âge d'or de la nourriture industrielle, et plus particulièrement à l'introduction massive, sur le marché américain, du sirop de fructose-glucose. Ce « sucre », fabriqué à partir des excédents de maïs, envahissait peu à peu les boissons et la nourriture alors que diverses études prouvaient que, non assimilé par le cerveau, il poussait à surconsommer des produits sucrés.

Or, aujourd'hui, chaque Américain ingurgite près de quarante kilos de sirop de fructose-glucose par an.

Et, depuis quelque temps, ce produit redoutable « enrichit » de manière exponentielle la nourriture industrielle produite en Europe [2].

*

David Kessler a interrogé Katherine Flegal, chercheuse au Center for Disease Control and Prevention (CDC) et l'une des premières scientifiques à

---

1. Le cas des Pimas est d'autant plus instructif qu'une partie de la tribu, partageant la même identité génétique et installée dans une région reculée du Mexique, ne connaît pas cette crise d'obésité. Son alimentation est, elle, essentiellement fondée sur la consommation de produits frais. Voir *Toxic*, *op. cit.*

2. *Toxic*, *op. cit.*

avoir noté l'explosion brutale du taux d'obésité américain.

Le terme d'explosion est on ne peut plus approprié puisqu'elle écrit qu'« après avoir compilé les informations collectées de 1988 à 1991 », elle conclut qu'« un bon tiers de la population entre vingt-sept et soixante-quatorze ans pèse trop lourd [1] ».

Surprise par ses calculs, Flegal a conduit une série de vérifications aux conclusions effrayantes : « En moins de douze ans, 8 % des Américains ont soudainement rejoint le camp du surpoids et de l'obésité [2]. »

Laissez-moi reformuler son propos plus crûment : au milieu des années 1980, *sans aucune raison apparente,* près de 20 millions d'Américains sont, *brusquement,* devenus trop gros !

La pandémie d'obésité venait bien de débuter et la toxic food de faire, par millions, ses premières victimes.

1. *The End of Overating*, *op. cit.*
2. *Idem.*

19

Victimes

Je l'ai dit et je le répète : cette pandémie n'est seulement – et malheureusement – que la partie visible des dégâts engendrés par l'intrusion de la toxic food dans notre alimentation. Puisque kilos en trop ou pas, elle n'épargne personne, nous sommes, potentiellement, tous ses victimes. Une réalité que de multiples exemples tragiques attestent.

*

Après la parution de *Toxic* j'ai donné, principalement au Québec, des conférences consacrées aux dérives de notre mode alimentaire. Et quand venait le temps de discuter avec le public, j'ai toujours été surpris de voir combien une idée fausse résistait bien aux faits. Avec constance, la majorité de mes interlocuteurs croyaient ainsi que le cancer relevait de la fatalité génétique !

Il ne faut pas chercher loin pour trouver les racines de cette erreur. Primo, les progrès médicaux autour de la recherche génétique ont, ces dernières années, polarisé l'attention des médias. Secundo – et sans doute inconsciemment –, cette croyance renvoie aux consultations chez le médecin qui, lorsqu'il n'y a pas de consommation d'alcool ou de cigarettes, évoque systématiquement la présence ou non du cancer dans les familles. Enfin – et c'est je crois le facteur le plus important – cette certitude populaire illustre l'échec des pouvoirs publics quand il s'agit de communiquer correctement sur les causes de cette terrible plaie. Depuis que nos sociétés sont entrées en guerre contre le cancer, les campagnes gouvernementales à travers le monde se sont globalement articulées autour de deux pôles : la recherche et la détection. Donc très peu, pour ne pas dire pas du tout, sur la prévention.

Le cancer du sein est symptomatique de cette carence informative. On parle ainsi du traitement, mais surtout des mammographies, actes médicaux en soi, tout en négligeant des conseils de vie qui permettraient d'éviter la maladie elle-même. Des recommandations qui, nous le verrons, imposent de dire non à la toxic food.

Mais revenons à l'erreur collective sur le cancer.

Disons-le tout net : dans une grande majorité des cas, le cancer ne relève pas de la fatalité génétique. Depuis plus de trente ans la communauté scientifique estime même qu'au maximum 15 % des cas de cancers y sont liés. Mieux, en 1981, dans un rapport destiné au Congrès et aujourd'hui encore considéré comme essentiel, Richard Doll et Richard Petto estimaient que ce taux devrait certainement être revu à la baisse, que nos gènes s'avéraient selon eux responsables du mal dans à peine 2 à 3 % des cas [1].

Je tiens à insister sur cette information parce que, derrière le côté abstrait de ces chiffres, se cache une vérité, à la fois source d'espoir et de révolte : plus de huit cancers sur dix sont évitables !

*

S'il fallait faire ce détour, c'est parce qu'aujourd'hui la toxic food est le principal outil de prolifération des cancers « évitables ». L'industrialisation de la nourriture, prouvant la justesse des propos d'Hippocrate, a en effet transformé notre alimentation non en remède mais en cause du mal. Un énième et rapide saut dans le passé permet de le comprendre.

*

La courbe de la croissance pondérale des Américains n'est pas la seule à connaître une explosion au milieu des années 1980. Troublant parallèle, celle des cas de cancers a assisté au même phénomène.

En 1971, le Président Richard Nixon déclara la guerre au cancer, mettant à disposition du corps scientifique des mannes financières jamais vues afin d'élaborer un traitement et de trouver des moyens efficaces de détection précoce de la maladie [2].

---

1. Richard Doll et Richard Peto, *The Causes of Cancer : Quantitatives Estimates of Avoidables Risks of Cancer in The United States Today,* juin 1981, http://tobaccodocuments.org/pm/2025030544-0660.html.
2. Confirmant ce que j'écrivais plus haut sur l'absence de politique sur la prévention.

Cette année-là, 337 000 Américains étaient morts de ce fléau. Eh bien en 1986, quinze ans plus tard, malgré les milliards de la Maison-Blanche et les progrès de la médecine, ce chiffre était monté à 472 000. Soit 40 % de plus !

Depuis, la machine à tuer n'a pas ralenti. À une vitesse quasi épidémique « mimant » la courbe de l'obésité, le mal progresse aux États-Unis de quasiment 2 % par an. Entre 1950 et 2001, le taux d'incidence du cancer a donc crû de 85 % [1].

Concrètement, cela signifie qu'un homme américain sur deux sera atteint d'au moins un cancer dans son existence, les femmes, légèrement moins touchées, atteignent 40 %.

Le royaume de la toxic food connaît un autre privilège sinistre : la plus puissante nation du monde est aussi celle où le taux de mortalité lié au cancer est le plus fort.

Mais il ne faut pas s'y tromper : les États-Unis ne constituent en rien un cas à part. L'ensemble des pays développés suit la même évolution. En Angleterre, par exemple, seulement 4 % de la population décédait d'une crise cardiaque ou d'un cancer il y a un siècle. Aujourd'hui, ces deux maladies, liées à la consommation de la nouvelle malbouffe, sont responsables de plus de deux tiers des décès [2]. Quant à la France, elle montre la même courbe exponentielle et quasi épidémique, avec une augmentation du nombre de cancers de 60 % durant les vingt dernières années [3].

---

1. Pire, en 1900, le cancer était la dixième cause de décès du pays, représentant seulement 3 % du nombre total de morts. Aujourd'hui, seul, il concerne plus de 20 % des décès.

2. Paula Baillie-Hamilton, *Toxic Overload*, Avery, 2005.

3. « Estimations nationales : tendances de l'incidence et de la mortalité par cancer en France entre 1978 et 2000 », ministère de la Santé, de la Famille et des Personnes handicapées,

De cette avalanche de chiffres, il faut retenir ceci : bien qu'il soit évitable plus de huit fois sur dix, le cancer n'a jamais fait autant de malades et de victimes. Et cette *soudaine* augmentation épouse parfaitement la courbe de la pandémie d'obésité.

*

Dans le détail, ces chiffres catastrophiques sont encore pires. Ainsi, ce n'est pas l'ensemble des cancers qui est en progression. Certains sont même en baisse, comme les cancers ORL dont la majorité dépendait de la consommation de tabac. Si cette diminution signifie que l'on fume moins, il y a un revers à cette nouvelle a priori positive. Si, jusqu'au milieu des années 1980, le cancer du fumeur tenait une place prépondérante dans les statistiques, son recul, accompagné d'une augmentation générale des incidences de cancer, ne signifie qu'une seule chose : d'autres types de cancer ont, eux, formidablement progressé.

C'est le cas de ceux de la thyroïde (258 % en trente ans), des testicules (81 %) ou du foie (234 %).

Désormais trois autres cancers ont supplanté ceux liés à la cigarette. Le colorectal [1], celui de la prostate et du sein représentent presque la moitié des cas recensés.

*

2002, www.cepidc.vesinet.inserm.fr/inserm/html/pdf/beh_41_42_2003.pdf.

1. Le cancer colorectal regroupe en fait deux cancers : celui du rectum et celui du côlon. Puisque les deux maladies concernent le gros intestin et présentent de nombreuses analogies, le corps médical les désigne sous un même terme.

Avant d'évoquer ce trio morbide, il convient d'apporter une précision importante.

Lorsque Katherine Flegal, chercheuse du CDC, découvrit le brusque accroissement du nombre d'Américains obèses, son premier réflexe fut de croire à une erreur dans ses calculs. Mais, une fois l'exactitude de son modèle mathématique établie, elle dut tenter de trouver une explication logique à ce fait. Avant de vérifier auprès des médecins la réalité et l'ampleur de la crise, elle a avancé l'hypothèse d'un phénomène purement statistique, soupesant que, peut-être, la méthode de calcul utilisée au milieu des années 1980 était plus fiable que celle des décennies précédentes.

Un même argument, nous l'avons vu, utilisé par l'industrie agroalimentaire pour décrédibiliser les études montrant l'importante chute des quantités de vitamines et minéraux dans les fruits et légumes.

Or, pendant longtemps, la communauté scientifique s'étripa sur ce point. Certains firent par ailleurs remarquer l'allongement de l'espérance de vie, donnée à prendre en compte puisque, souvent, le cancer est une maladie de la vieillesse.

Malheureusement, ces tentatives d'explications ne s'appliquent pas ici.

D'abord parce que l'ensemble des pourcentages et chiffres évoqués dans cette démonstration intègrent cette donnée.

Ensuite parce que la vérité du cancer est bien plus tragique. Aux États-Unis comme en Europe, le cancer progresse aujourd'hui le plus rapidement dans la tranche d'âge des enfants et des adolescents. Pas question donc de recourir ici à l'excuse du cancer « maladie de fin », comme le prouve la vaste étude menée en 2004 depuis Lyon par l'Agence internationale pour la recherche sur le cancer [1].

Selon un schéma semblable et concomitant aux courbes de la pandémie d'obésité, certains cancers se sont donc bel et bien multipliés à mesure que la toxic food envahissait les estomacs.

---

1. Ou bien comme le prouvent encore les travaux du National Cancer Institute démontrant qu'aux États-Unis, en 1950 et 1985, l'incidence du cancer parmi les enfants a augmenté de 32 %. Pour l'étude européenne, lire : « Geographical Patterns and Time Trends of Cancer Incidence and Survival Among Children and Adolescents in Europe since the 1970's (the ACCIS project) : An Epidemiological Study », http://www.ncbi.nlm.nih.gov/pubmed/15589307 ?dopt=AbstractPlus.

20

Tiercé

Prostate, côlon et sein, tel est le terrifiant tiercé des cancers du XXIe siècle.

Si, comme pour l'obésité, un cancer peut s'expliquer par différents facteurs, comment ne pas déceler les traces de la nouvelle malbouffe derrière l'essor de ces maladies ? Le professeur émérite T. Colin Campbell, spécialiste de la nutrition et du cancer, est sur ce point formel. Après avoir passé quarante ans à étudier la question, il affirme que le régime alimentaire occidental est désormais la première source de développement du cancer. Et lorsque ce scientifique émérite évoque notre mode de consommation, lui que des études étayées ont converti aux bienfaits de l'agriculture biologique et du végétarisme, c'est bien de la toxic food dont il parle.

*

Avec une augmentation de 286 % ces vingt dernières années, le cancer de la prostate est devenu l'une des formes de la maladie qui touche le plus les hommes américains. À lui seul, « il représente environ 25 % de toutes les tumeurs [1] ».

Cette fréquence est une particularité du monde occidental. Et, d'après Campbell, le premier indice incitant à désigner comme responsable notre mode alimentaire. Pourquoi ? Parce que le cancer de la prostate est quasiment inconnu des pays où la nouvelle malbouffe n'a pas encore commis ses ravages. Mais aussi parce que – de quoi attester qu'il ne s'agit pas d'une spécificité génétique – « le cancer de la prostate touche plus les hommes des pays en voie de développement qui adoptent les habitudes alimentaires des Occidentaux ou partent vivre dans des pays occidentaux [2] ».

Voici un élément à charge majeur contre la toxic food. Comme lors de la pandémie d'obésité, la soudaine augmentation des cancers s'est produite sous nos yeux sans que nous en réalisions l'importance. Dès lors, les chercheurs n'ont pas pu étudier la crise au moment même de son éclosion. En suivant l'évolution sanitaire de peuplades adoptant notre mode de vie, donc transformées en cobayes malgré elles, nous obtenons nombre de données éclairant la nature des facteurs environnementaux responsables des maladies modernes. Dans cette optique, découvrir qu'un immigré venu d'un pays en voie de développement « adopte » immédiatement nos maux à

---

1. Cancer « extrêmement répandu, il se développe également très lentement. Uniquement 7 % des hommes chez qui le cancer de la prostate a été diagnostiqué mourront dans les cinq années qui suivent », *Le Rapport Campbell*, *op. cit.*

2. *Idem.*

mesure que se fait son intégration en dit beaucoup sur l'étendue du problème.

En plus du rôle joué par l'alimentation dans le développement du cancer de la prostate – une alimentation, rappelons-le, constituée à 80 % de produits industriels –, Campbell met en avant deux études récentes démontrant la culpabilité de la toxic food. Deux recherches qui « laissent peu de place à une opinion différente [car se fondant] sur l'analyse d'une douzaine d'études individuelles, rassemblant une quantité impressionnante d'arguments irréfutables [1] ».

La première, effectuée à Harvard en 2001, établit un lien entre les produits laitiers et le cancer de la prostate : « Les études précisent que le risque du cancer de la prostate double chez les hommes qui consomment une plus grande quantité de produits laitiers et que leur risque de cancer de la prostate métastatique ou fatal quadruple par rapport aux hommes qui en consomment peu [2]. »

La seconde, datant de 1998, apporte des conclusions similaires, ajoutant la trop grande consommation de viande à celle des produits laitiers.

Le lait et la viande ! Comment ces deux produits que l'on pourrait croire loin d'entrer dans le cercle de la nouvelle malbouffe peuvent-ils se retrouver là ?

Une nouvelle fois, comme dans le cas des fruits et légumes issus de l'agriculture moderne, cela tient au fait qu'ils sont victimes de cette industrialisation.

---

1. *Idem.*
2. *Idem.* À noter que l'édition francophone du livre de Campbell porte une « coquille » fâcheuse. Le terme « peu » y est remplacé par « plus ».

Je ne vais pas le répéter, mais j'ai raconté dans *Toxic* les conditions déplorables de l'élevage à grande échelle et ses conséquences sur la qualité sanitaire, gustative et nutritive des « produits » qui en sont issus [1]. Or il ne faut pas chercher plus loin pour comprendre comment cette viande et ce lait mis à « la sauce industrielle » sont, aujourd'hui, devenus des vecteurs du développement des cancers de la prostate.

1. Voir *Toxic*, *op. cit.*

21

Tueur

Le deuxième membre de ce fatal trio me touche personnellement. En quelques mois, fidèle à sa réputation de « cancer tueur », je l'ai en effet vu terrasser et emporter mon grand-père paternel.

Le cancer colorectal – que l'on désigne souvent sous le terme de cancer du côlon, même s'il peut toucher le rectum – est une des formes les plus fatales de la maladie. Et, désormais, l'une des plus fréquentes. Ainsi, aux États-Unis, il est le deuxième type de cancer rencontré. Concrètement, il touche 6 % de la population, taux en augmentation depuis trois décennies.

*

Oui, vous avez bien lu : un peu plus de 18 millions d'Américains sont atteints d'une forme de cancer colorectal. 18 millions ! Une statistique atroce, coût humain à payer faramineux parce que ce pays a voulu remporter le titre de champion du monde de la toxic food.

Si ce taux est extrême de ce côté de l'Atlantique, on constate une tendance similaire dans l'ensemble des pays occidentaux.

Citant différentes études, le professeur Campbell écrit d'ailleurs que « l'Amérique du Nord, l'Europe, l'Australie et les pays d'Asie les plus fortunés (Japon, Singapour) affichent un très haut pourcentage de cancers colorectaux, alors que l'Afrique, l'Asie et la plus grande partie de l'Amérique centrale et l'Amérique du Sud ne connaissent qu'un faible taux de cette forme de cancer [1]. »

Voulant illustrer cette fracture, le chercheur compare le taux de mortalité de ce cancer en République tchèque, où il « se situe à 34,19 pour 100 000 hommes » à celui du Bangladesh : « 0,63 pour 100 000 hommes [2] ».

Un contraste saisissant qui, une nouvelle fois, comme avec les cancers de la prostate, met en évidence la frontière invisible entre deux mondes. Dont l'un, le nôtre, développe de nouveaux cancers à mesure qu'il se nourrit presque exclusivement d'alimentation industrielle.

*

Le plus révoltant, c'est que cette vérité n'est pas récente.

Ainsi, en avril 1975, Bruce Armstrong et Richard Doll publiaient les conclusions d'une longue étude menée dans trente-deux pays [3]. Les conclusions des

1. *Le Rapport Campbell*, *op. cit.*
2. *Idem.*
3. Bruce Armstrong et Richard Doll, « Environmental Factors and Cancer Incidence and Mortality in Different Countries, with Special Reference to Dietary Practices »,

deux chercheurs relatives au cancer du côlon étaient implacables : « Le régime alimentaire [est] fortement lié à son apparition [1] », disent-ils. Et de conclure que les pays avec une présence importante de ce cancer étaient à l'alimentation trop riche en viande rouge, en gras et en sucres... Les piliers de la nouvelle malbouffe.

Je viens de l'écrire : les découvertes d'Armstrong et Doll ont plus de trente ans ! Mais, les ignorant, nous avons continué à suivre un mode alimentaire périlleux et, comme si cela ne suffisait pas, avons même augmenté la quantité de toxic food engouffrée.

*

Peut-être, cette étude oubliée est-elle trop ancienne pour convaincre ? Peut-être faut-il en mettre une en avant plus récente ?

Celle publiée en 2005 par The American Cancer Society (ACS) [2] est effectivement plus contemporaine. Elle a également, aux yeux des scientifiques, deux atouts d'envergure : son ampleur et sa durée.

Entre 1982 et 2003, 149 000 Américains ont, à étapes régulières, rencontré les chercheurs de l'ACS pour établir un bilan de leur régime alimentaire et de leur santé. Michael Thum, l'un des coauteurs du rapport final, raconte : « Notre étude nous a permis de différencier les risques associés à la consommation de viande des autres facteurs affectant les

---

International Journal of cancer, 15/04/1975, http://www.ncbi.nlm.nih.gov/pubmed/1140864.

1. *Idem.*
2. Http://caonline.amcancersoc.org/cgi/content/full/55/3/143.

risques de cancer colorectal, et plus spécialement, l'obésité et l'inactivité physique [...]. En conclusion, il existe maintenant des preuves substantielles qu'une consommation de viande importante et à long terme augmente les risques de cancer du côlon [1]. »

Comme si ce propos ne suffisait pas, dans le corps du rapport se trouvent des informations très importantes. D'abord – et cela en rassurera certains –, il existe une réelle différence en matière de risque entre les consommateurs de viande rouge et ceux qui préfèrent les volailles et poissons. Les risques sont plus élevés à mesure que la taille de l'animal augmente. Ou, dit autrement, suivant les préceptes du rapport de l'ACS, il est préférable de trouver ses protéines dans « des haricots, du poisson ou du poulet [2] » que dans un steak de bœuf. Non seulement le facteur de risque est quasi nul mais il semblerait que la consommation de viande blanche et de poisson ait un effet positif atténuant certains facteurs déclenchant un cancer colorectal [3].

L'équipe de scientifiques de l'ACS propose d'ailleurs une sorte de palmarès des dangers où, produit par produit, pour les hommes et les femmes, est détaillé à partir de quelles quantités quotidiennes on met en péril son organisme.

Ainsi, un homme courra plus de risques s'il consomme presque chaque jour « approximativement la quantité de viande contenue dans un grand hamburger [4] ». Une échelle à réduire presque de moitié chez une femme.

1. *Idem.*
2. *Idem.*
3. *Idem.*
4. *Idem.*

*

Ne se contentant pas d'étudier les effets de la viande rouge, l'ACS s'est penché sur les risques de cancer colorectal associés à la consommation de charcuterie. Et pas n'importe laquelle : celle préparée de manière industrielle.

Comme on pouvait s'y attendre, les résultats sont effrayants. Ainsi, on découvre les taux de risques les plus élevés chez les hommes consommant deux à trois tranches de salami par jour, cinq à six fois par semaine. À nouveau, la quantité consommée par les femmes est plus faible.

Pire, le rapport évalue que la consommation quotidienne de 50 grammes de charcuterie augmente le risque de cancer colorectal de 21 %. À titre d'information, c'est à peu près le poids d'une tranche de jambon vendue sous cellophane dans n'importe quel supermarché.

Effaré par ce résultat, Thun écrit : « Le but de cette étude n'était pas de découvrir ce qui, dans la viande rouge, peut influencer les risques de cancer. Mais pour les charcuteries, le sel, les résidus de fumée, le gras et les nitrites peuvent jouer un rôle [1]. »

*

Peuvent...

Dans *Toxic,* j'ai évoqué les stratégies adoptées par l'industrie agroalimentaire pour ébranler les découvertes du même ordre faites en 2006 par Sydney Mirvish, chercheur de l'université du

1. *Idem.*

Nebraska. Aux yeux des représentants de la nouvelle malbouffe, ce scientifique avait eu le tort de prouver, *sans l'ombre d'un doute,* les dégâts suscités dans l'organisme par les nitrites. Ces substances présentes dans la charcuterie industrielle parce qu'elles garantissent la couleur et la bonne et longue conservation, mais qui entraînent une mutation de l'ADN et multiplient les risques de cancers colorectaux [1].

En bon scientifique tentant de rester dans le périmètre de ses travaux, Michael Thun a préféré user de prudence, mieux, utiliser le conditionnel. Mais, aujourd'hui, le temps n'est plus à la mesure ni à la probabilité.

De Armstrong et Doll à Thun en passant par Mirvish, l'ensemble de ces travaux, souvent ignorés du grand public, prouve encore et encore la même vérité : nous sommes ce que nous mangeons et payons le prix sanitaire de notre accoutumance à la toxic food.

---

1. *Toxic*, *op. cit.*

22

Facteurs

Le dernier élément du trio des cancers modernes est celui qui bénéficie de la médiatisation la plus importante : il s'agit évidemment du cancer du sein.

Dont, là encore, la progression est phénoménale. Aux États-Unis, alors qu'une femme sur vingt était atteinte en 1960, la proportion est passée aujourd'hui à une sur trois ! Une tendance qui frappe l'Europe occidentale et l'ensemble des pays riches [1]. En France, sa croissance annuelle depuis 1980 s'élève à 2,4 %. Un pourcentage qui s'accélère malgré « une légère pause depuis deux ans due à un moindre recours aux hormones de la ménopause [2] », révision du protocole médical décidée

1. Véronique Chajès, Anne Thiébaut, Maxime Rotival, Estelle Gauthier, Virginie Maillard, Marie-Christine Boutron-Ruault, Virginie Joulin, Gilbert M. Lenoir, Françoise Clavel-Chapelon, « Association between Serum *trans*-Monounsaturated Fatty Acids and Breast Cancer Risk in the E3N-EPIC Study », *American Journal of Epidemiology*, 2008, http://hal.archives-ouvertes.fr/docs/00/29/43/10/PDF/TransFattyAcids-AmJEpidemiol.pdf.

2. In *Le Figaro*, 15/04/2008.

après découverte que les traitements à base d'hormones de substitution pouvaient entraîner des effets secondaires, dont le cancer du sein. Malgré cette stagnation, chaque année presque cinquante mille femmes découvrent néanmoins qu'elles sont touchées par ce mal.

Il convient de s'interroger sur la portée de ces chiffres. Et de se demander si les campagnes sanitaires sont efficaces. Loin de moi l'idée de condamner la recherche, les traitements et les campagnes de dépistage précoce, mais force est d'admettre qu'aucune des politiques engagées n'est parvenue à stopper l'extension de la maladie dans l'Hexagone, au Québec, aux États-Unis comme dans l'ensemble des pays développés. Cela ne signifie-t-il pas, à nouveau, qu'il est nécessaire de mettre l'accent sur la prévention ? Car même si les cancers sont des maladies complexes dépendant de multiples facteurs, il est scientifiquement établi que la plupart tiennent à notre mode de vie. Donc qu'ils sont évitables. Voici, selon moi, l'un des défis majeurs du siècle, un défi que les pouvoirs publics ne peuvent se permettre d'ignorer. Comme je l'ai souvent entendu de la bouche de chercheurs et de malades découvrant d'où venaient les cancers, la solution réside dans la prévention !

*

Je viens de l'écrire : le cancer du sein est une maladie complexe. Aussi, pendant de nombreuses années, le monde scientifique a rencontré des difficultés pour en expliquer les raisons. Durant des décennies – les questions de vos médecins sont encore teintées de cette croyance-là –, on a pensé qu'il relevait d'une sorte de fatalité génétique transmise de mère en fille, génération après génération. En réalité, on s'est aperçu que la transmission génétique comptait pour très peu. Ainsi en 1993, les professeurs Graham A. Colditz et Walter Willet – celui des acides gras-trans et des vitamines – ont établi que seulement 2,3 % d'entre eux pouvaient être attribués à des antécédents familiaux [1] !

Même si, depuis, d'autres études ont affiné ce chiffre en le relevant légèrement, la vérité est là : l'héritage génétique n'est pas – et de loin – la cause principale de ce fléau.

Alors, quelle est-elle ?

L'un des éléments de réponse, souligné par David Servan-Schreiber, tient à la nature même du sein. Le chercheur en neurosciences écrit ainsi : « C'est dans la graisse que s'accumulent de nombreux cancérigènes, y compris ceux émis par la fumée de cigarette – comme le hautement toxique benzo-[a]-pyrène, un des cancérigènes les plus agressifs que l'on connaisse. Parmi les cancers qui ont le plus augmenté en Occident depuis cinquante ans, on retrouve surtout les cancers des tissus qui contiennent ou qui sont entourés de graisse : le sein, les ovaires, la prostate, le côlon, le système lymphatique [2]... »

La graisse agit donc comme une sorte d'aimant à substances cancérigènes, les attirant dans l'organisme, les y emprisonnant avant qu'elles n'entre-

1. Graham A. Colditz, Walter C. Willett, « Family History, Age, and Risk of Breast Cancer. Prospective Data from the Nurses' Health Study », *The Journal of the American Medical Association*, volume 270, n° 3, 21/07/1993, http://jama.ama-assn.org/cgi/content/abstract/270/3/338.

2. *Anticancer, op. cit.*

prennent leur travail morbide et commencent à le détruire. Voilà qui s'avère effrayant si l'on songe à la double malédiction qu'endurent les victimes de la pandémie d'obésité. Non seulement elles souffrent mentalement et physiquement de leurs kilos en trop mais, en plus, accumulant du poids, elles offrent, en quelque sorte, aux cancérigènes le... gîte et le couvert.

*

Si la piste évoquée par David Servan-Screiber explique pourquoi certains cancers se développent et pas d'autres, elle ne remonte malheureusement pas aux racines mêmes du mal.

À cette énigme, la communauté scientifique répond fréquemment par un terme fourre-tout : « les facteurs environnementaux ».

Qui signifie, notamment, que la pollution ou des produits utilisés au quotidien par l'industrie chimique sont à l'origine de la maladie. Reste que, comme le rappelle sans cesse le professeur Campbell, après quarante années de recherches la première source de pollution des organismes est bel et bien l'alimentation moderne [1]. Le scientifique fait notamment référence à la présence de pesticides dans les fruits, légumes et l'eau que nous buvons. Des engrais chimiques aux herbicides, les pesticides

1. Dans son livre, Campbell énumère quatre symptômes connus de risques du cancer du sein (premières règles précoces, retard de la ménopause, taux élevé d'hormones féminines dans le sang, taux élevé de cholestérol sanguin) pour démontrer l'influence de l'alimentation sur l'ensemble. Voir *Le Rapport Campbell, op. cit.*

contiennent en effet des ingrédients reconnus comme cancérigènes [1].

La pollution, qu'elle soit environnementale ou contenue dans les aliments, constitue donc l'un des facteurs d'explication envisagés. Mais, une fois encore, voilà qui est bien insuffisant pour expliquer la brusque prolifération des cancers du sein.

Le premier élément d'appréciation réside dans la répartition géographique du mal. Or on constate que ce sont les pays dits riches qui sont en priorité atteints par cette maladie. Des nations où l'essentiel de la nourriture est constitué de toxic food.

Accuser la nourriture industrielle d'être coupable d'une partie des cas répertoriés est confirmé à travers une vaste étude entreprise en 2004 au Japon [2]. En comparant des données remontant à 1959, les scientifiques japonais ont pu constater la récente augmentation des cancers du sein mais aussi, et c'est le plus important, déterminer quand, précisément, cette tendance a débuté.

La réponse est – tristement – sans surprise. Comme s'il existait un mimétisme parfait avec la pandémie d'obésité, ils ont vu que le nombre de cancers du sein avait explosé au Japon à partir du milieu des années 1980, âge d'or de la colonisation de nos assiettes par la nouvelle malbouffe !

*

1. Voir *Toxic, op. cit.*
2. Yoshitaka Tusbono, Yoshikazu Nishino, Yuko Minami, « The Increase of Female Breast Cancer Incidence in Japan : Emergence of Birth Cohort Effect », *International Journal of Cancer*, 2004, http://www.ncbi.nlm.nih.gov/pubmed/14712495.

Une autre étude, plus importante encore, est à même d'emporter la conviction des plus sceptiques et de ceux qui ne sentent pas concernés. Une étude effectuée en France.

En avril 2008, l'*American Journal of Epidemiology* publie les conclusions du suivi médical et scientifique réalisé pendant treize ans sur 19 934 femmes françaises [1]. Ce travail, entrepris par des chercheurs de l'Institut Gustave-Roussy de Villejuif et de l'Institut national de la santé et de la recherche médicale (INSERM), est une première. En effet, désireux de comprendre les raisons présidant à l'explosion du nombre de cancers du sein, les scientifiques ont mesuré le rôle joué par différents ingrédients alimentaires.

Leurs conclusions dénoncent la toxic food. Et plus particulièrement l'un de ses ingrédients phares : l'acide gras-trans !

*

En 2007, plusieurs pages de *Toxic* étaient consacrées aux dangers de l'huile partiellement hydrogénée [2]. En partant de l'exemple américain, où elle est mise souvent à l'insu du consommateur dans plus

1. « Association between Serum *trans*-Monounsaturated Fatty Acids and Breast Cancer Risk in the E3N-EPIC Study », *op. cit.*

2. Les acides gras-trans sont très majoritairement issus du traitement par hydrogénation des huiles végétales. Et plus particulièrement, même si ce n'est pas toujours le cas, de la déjà très grasse huile de palme. Développée par les fabricants de la toxic food pour son croustillant, sa faculté de longue conservation et surtout son bas prix, l'huile partiellement hydrogénée est un facteur essentiel des risques d'accidents cardio-vasculaire.

de 40 % des produits constituant la nouvelle malbouffe, j'avais démontré que l'Europe en général et la France en particulier subissaient à leur tour l'invasion. N'en voyait-on pas la trace dans les plats préparés, les biscuits, les barres chocolatées, les céréales, les pâtes à pizza, les viennoiseries, les soupes déshydratées... ? Une extension d'autant plus déplorable que, depuis 1994, le rôle mortel des acides gras-trans a été établi de manière formelle en Amérique du Nord où ils tuent chaque année près de 100 000 personnes [1].

Cependant, la nouveauté de l'étude française ne réside pas dans le fait de se pencher sur le rôle de l'huile partiellement hydrogénée dans les accidents cardio-vasculaires, mais d'y voir un facteur de risque du cancer du sein. Or les résultats obtenus sont implacables. Primo, la probabilité de contracter un cancer du sein augmente en cas de consommation d'huile partiellement hydrogénée. Et ce, secundo, dans des proportions considérables. Ainsi, les femmes adeptes de la nourriture industrielle, principale source d'acides gras-trans, courent-elles deux fois plus de risques d'être atteintes de ce mal.

Une découverte qui incite l'équipe française à conclure : « Nous ne pouvons que recommander une diminution de la consommation des produits contenant des acides gras-trans d'origine industrielle. Les acides trans devraient être clairement indiqués sur l'étiquetage des produits qui en contiennent [2]. »

*

1. Voir *Toxic*, *op. cit.*
2. *Idem.*

Si, une fois encore, je peux comprendre la prudence de langage affichée par le corps scientifique – surtout, comme c'est le cas ici, dans la mesure où il est rattaché à un établissement public de recherche –, je ne suis pour ma part tenu à aucun devoir de réserve.

Or que constate-t-on : qu'un produit dont la toxicité est établie de manière *officielle* [1] depuis maintenant *quinze ans* continue d'être commercialisé.

Qu'on s'en souvienne, cette année-là, suivant les conclusions du professeur Willett, la très prestigieuse National Academy of Sciences devait recommander aux Américains de ne pas consommer d'huile partiellement hydrogénée. Mieux, dorénavant, nous savons qu'en plus d'une responsabilité majeure dans les accidents cardio-vasculaires ce produit augmente considérablement les risques de cancer du sein. Un rôle qui ne paraît pas se cantonner à cette seule forme de maladie puisque, depuis la parution du rapport français, d'autres scientifiques étudient les effets des acides gras-trans dans des cancers différents, certaines conclusions préliminaires tendant à prouver que le produit phare de

1. La distinction est de mise car en réalité les premiers travaux scientifiques sur les dangers des acides gras-trans remontent à... 1956. En effet, cette année-là, l'épidémiologiste américain Ancel Keyes mettait en garde contre la consommation d'huile végétale hydrogénée, plus particulièrement sous la forme de margarine. De plus, expliquant que les acides gras-trans augmentaient considérablement le taux de cholestérol dans le sang, le produit risquait de jouer un rôle essentiel dans le développement des maladies cardiaques dans la seconde moitié du XXe siècle. Plus de cinquante après, l'huile partiellement hydrogénée continue, à l'insu du consommateur, à contaminer nos assiettes. Http://www.stop-trans-fat.com/ancel-keys.html.

la nourriture industrielle fait vraiment office de multiplicateur de risques.

Eh bien, malgré ces accusations, malgré sa responsabilité attestée dans la pandémie d'obésité [1], les maladies cardio-vasculaires et maintenant les cancers, rien ou presque n'a été entrepris pour limiter sérieusement le recours aux huiles partiellement hydrogénées.

Que dire de l'étiquetage alors ?

La suggestion de l'équipe de chercheurs français va dans le sens des conclusions d'un rapport [2] de l'Agence française de sécurité sanitaire des aliments (AFSSA) dont je fustigeais déjà la mollesse dans les pages de *Toxic.* Car l'étiquetage, solution appréciée par l'industrie agroalimentaire puisque moins contraignante, n'a quasi aucun effet sur les consommateurs !

Il s'agit d'un coup d'épée dans l'eau en vérité, tant les géants de la nouvelle malbouffe ont trouvé le moyen de contourner ce mince obstacle. D'abord, ils peuvent se cacher derrière les « erreurs de calcul » et les « marges d'erreurs », officiellement tolérées et qui permettent à un produit d'afficher qu'il ne contient pas d'acides gras-trans dès lors... qu'il en contient moins de 3 %. Et puis, il y a le fameux astérisque qui signifie qu'un aliment en contient peu – ou pas – par *portion.* Or, comme chaque fabricant est libre de déterminer la taille de ses portions, il arrive qu'un repas préparé pour une personne soit présenté comme l'équivalent d'un tiers de portion réelle. Le consommateur, rassuré

1. In *Toxic, op. cit.*
2. « Risques et bénéfices pour la santé des acides gras-trans apportés par les aliments », AFSSA, avril 2005.

par l'étiquette, avalera donc le contenu de son assiette sans inquiétude alors qu'elle recèle trois fois 3 % d'huile partiellement hydrogénée.

Résultat ? Aux États-Unis, ce système a été mis en place depuis plus de quatre ans [1] mais la Federal Drug & Administration (FDA) estime que la mention indiquée sur un produit sauve seulement « entre 250 et 500 vies par an ». Une goutte d'eau lorsqu'on sait que le nombre global de victimes de l'huile partiellement hydrogénée s'élève – hors cancer ! – à 100 000 personnes chaque année.

*

Reste la solution généralement préconisée par les pouvoirs publics : « Encourager les industriels à diminuer les teneurs en acides gras dans leurs produits [2]. »

Au lieu de poursuivre dans cette voie, l'Europe et la France – où, selon les chiffres de l'AFSSA, les adolescents consomment autant d'acides gras-trans que le *teenager* américain – feraient bien de prendre note du récent échec d'une telle méthode au Canada.

En juin 2007, Tony Clement, ministre de la Santé du Canada, lançait un plan fédéral contre les gras-trans d'origine industrielle présents dans la chaîne alimentaire du pays. Et, à ce titre, *invitait* l'industrie agroalimentaire à bannir l'huile partiellement hydrogénée d'ici 2009.

Cet appel au volontariat fut une surprise puisque le rapport de recherches sur lequel le ministre fondait

---

1. Le Canada a été le premier pays au monde à adopter l'étiquetage obligatoire des gras-trans.
2. Http://www.hrimag.com/spip.php ?article2162.

son plan « l'avait rejeté catégoriquement [...] » citant l'exemple du Danemark où les gras-trans n'avaient, en pratique, été éliminés de l'alimentation qu'à partir du moment où une réglementation contraignante avait été adoptée, après des « années de vœux pieux [1] ».

Mais voilà, le ministre canadien avait été sensible aux sirènes de différents lobbies, dont les pressions du gouvernement des États-Unis parce que son industrie alimentaire risquait de connaître des problèmes si le « remplacement des gras-trans était rendu obligatoire [2] ».

Deux ans plus tard, il est temps de dresser un bilan.

Celui de Georges Honos est on ne peut plus clair. Le cardiologue et porte-parole de la Fondation des maladies du cœur réclame « devant le peu de progrès réalisé [...] l'adoption d'une réglementation par le gouvernement fédéral ». Et, selon la presse, il demande que la présence de « gras-trans soit clairement identifiée sur les emballages et que le niveau acceptable pour chaque aliment soit déterminé. Il désire également que des pénalités soient prévues pour punir les compagnies qui contreviendraient à la réglementation [3]. »

« Devant le peu de progrès réalisé... », l'expression a le mérite de la franchise.

De Montréal [4] à New York [5] en passant par Copenhague, le refrain est donc toujours le même.

---

1. *Idem.*
2. *Idem.*
3. *La Presse canadienne*, 22 juin 2009.
4. Inspirée par ce qui se fait déjà à New York, Boston ou Calgary, la ville veut mettre en place un projet pilote, avec l'aide de la Direction de la santé publique. On ne sait pas encore si les gras-trans seront complètement interdits des cuisines ou à quels types de restaurants s'appliqueront les

S'ils ne sont pas contraints, par un cadre de loi restrictif, à changer, les géants de la toxic food continuent à nous empoisonner.

Dès lors, l'huile partiellement hydrogénée, que nous consommons tous les jours sans même nous en rendre compte et dont le rôle comme facteur de risques de l'obésité, des maladies cardio-vasculaires et du cancer du sein est prouvé, ne doit pas attendre de notre part la moindre mansuétude. Il faut l'interdire.

---

mesures. Trop tôt pour le déterminer, estime Richard Thériault, du cabinet du maire. « L'idée est sur la table et notre intention est bien claire », assure-t-il, précisant toutefois que « les gens de l'industrie seront consultés dans le processus. [...] La démarche pourrait être assez longue », *La Presse*, 10 décembre 2008, http://www.cyberpresse.ca/actualites/quebec-canada/sante/200812/09/01-809028-montreal-veut-eliminer-les-gras-trans-de-ses-restaurants.php.

5. Après l'échec d'une période de retrait volontaire, la municipalité a été contrainte d'interdire l'utilisation d'acides gras-trans dans la restauration.

23

Mamelon

Pour conclure, je souhaite évoquer un aspect du cancer du sein que, j'en suis certain, beaucoup d'entre vous ignorent.

Mais, rassurez-vous, vous n'êtes pas les seuls puisque les médecins de la victime que je vais évoquer n'en avaient pas entendu parler non plus.

*

Il aura fallu vingt années, des dizaines de consultations inutiles et, surtout, une volonté de fer pour que, à trente-quatre ans, Dave Lyons apprenne que la grosseur découverte sur le côté droit de sa poitrine était bien un cancer du sein.

Avant d'aller plus loin, il convient d'emblée de préciser à ceux que son prénom fait hésiter, que Dave est bien un homme. Un survivant du cancer, père de deux garçons qui, aujourd'hui, vit avec sa femme Teresa du côté de Portland dans l'Oregon.

*

Le chemin de croix de Dave débuta à l'adolescence. À treize ans, il signale à son médecin de famille la présence d'une grosseur près de son mamelon. Le docteur le rassure alors, expliquant qu'il s'agit d'un kyste, phénomène normal lié à la puberté. Et précise que l'anomalie disparaîtra naturellement.

Ce qui n'est toujours pas le cas lorsque, en 1986, âgé de vingt-trois ans, il effectue une visite prénuptiale avant d'épouser Teresa. Quand il signale au médecin la présence depuis dix ans de la grosseur, celui-ci lui conseille de ne pas s'inquiéter.

Quatre ans plus tard, alors qu'il vient d'être père pour la première fois, Dave est victime d'un désagrément pénible. Régulièrement, sur son mamelon droit, perlent des gouttelettes de sang.

Évidemment, il retourne consulter. Mais, là encore, on lui explique que c'est un phénomène naturel lié à son kyste et qu'il convient juste de faire preuve de patience.

Un diagnostic que Dave, durant les sept années suivantes vécues au rythme de déménagements et de changements de médecins – pour des raisons d'assurance –, va entendre chaque fois qu'il signale le problème.

Et puis, comme annoncé, les pertes de sang disparaissent, Dave cesse de s'inquiéter.

Jusqu'à un jour de 1997 où, s'amusant à « la bagarre » avec ses deux garçons, l'un d'eux lui frappe accidentellement la poitrine. D'un coup, la douleur est fulgurante. Pire, dit-il qu'un coup de pied reçu dans les testicules.

Cette fois, face – encore – à un médecin rassurant, Dave ne lâche pas. Il veut une ordonnance pour consulter un spécialiste.

Après une mammographie et la décision d'ôter la tumeur mise au jour, on rassure à nouveau Dave. Le chirurgien en est convaincu : la grosseur ne sera pas cancéreuse.

Quelques jours avant Noël, la mauvaise nouvelle tombe : non seulement Dave Lyons est atteint d'un cancer du sein mais la maladie s'étend à l'ensemble des tissus de sa poitrine.

En urgence, le 29 décembre, Dave subit une mastectomie radicale modifiée.

Radicale...

Il n'existe aucune manière d'habiller la formule pour qu'elle sonne mieux.

Radicale...

Cela signifie que le chirurgien ne peut se satisfaire d'une ablation totale du sein droit et doit retirer les ganglions lymphatiques axillaires ainsi que les tissus recouvrant les muscles pectoraux du quadragénaire.

Pire, pendant cinq ans Dave doit prendre du Tamoxifen alors qu'il souffre des effets secondaires psychologiques liés à ce médicament et a développé un lymphœdème entraînant un gonflement exagéré et douloureux de son bras droit [1].

Mais pour lui, l'essentiel est ailleurs. Il est vivant, peut voir grandir ses enfants et prouve au monde entier que le cancer du sein touche aussi les hommes.

*

---

1. Http://fr.wikipedia.org/wiki/Lymph%C5%93d%C3%A8me.

Même s'il est rare, le cas de Dave Lyons ne relève pas de l'exception. Pour autant, avant de comprendre comment – et pourquoi – les cancers du sein chez les hommes se développent à leur tour, il vaut revenir sur la double faillite de notre société que son histoire dévoile.

La première, poussée à l'extrême dans son cas, est celle du corps médical refusant de reconnaître les symptômes d'un cancer attribué d'ordinaire aux femmes. La Fondation John W. Nick [1], du nom d'une victime moins chanceuse de la maladie, se bat précisément pour attirer l'attention sur cet aspect méconnu. Et rassemble des volontaires ayant connu les mêmes déboires qui offrent de leur temps pour alerter l'opinion. Notamment sur l'importance d'un dépistage précoce.

Si, en moyenne, le taux de survie sur cinq ans est identique pour l'homme et la femme, on constate que le cancer du sein masculin est détecté dix-huit mois plus tard. Un écart énorme qui peut faire la différence entre la vie et la mort [2].

La seconde faillite tient à la perception collective de ce mal méconnu. Non seulement le cancer du sein est ignoré chez l'homme, mais quand on le met au jour il s'accompagne d'un très fort sentiment de honte chez sa victime. Pensant être atteint d'un mal exclusivement féminin, l'homme malade voit bousculée sa virilité. Et le vit mal. Un sentiment d'exclusion qu'attisent, en outre, certaines femmes.

En 2000, Dave Lyons voulut participer, en famille, à une course à vocation caritative dans les

1. Http://www.johnwnickfoundation.org.

2. Les chances de survie à cinq ans d'un cancer du sein détecté précocement sont de 90 %. Elles tombent à deux sur dix lorsque la maladie a commencé à s'étendre.

rues de Portland. L'événement, qui se déroulait dans plusieurs villes des États-Unis et rassemblait 33 000 femmes ayant survécu au cancer du sein, avait pour but de montrer que l'on pouvait terrasser le mal, de collecter des fonds et d'offrir une tribune à la cause.

Seulement voilà : ces beaux principes se heurtèrent au mur des sexes. Parce que Dave est un homme, les organisatrices de la course refusèrent son inscription ! Et il lui fallut passer sur les ondes d'une radio locale afin d'évoquer cette étrange discrimination pour les voir revenir sur cette exclusion.

Durant la compétition, David dut affronter la même intransigeance et il fut même pris à parti à plusieurs reprises par des femmes courant à ses côtés. Dans une malsaine déformation de la cause féministe, elles lui reprochèrent de venir voler aux femmes une maladie qui n'appartenait pas aux hommes [1].

*

Les habitudes médicales et le regard porté par la collectivité sur les hommes atteints d'un cancer du sein doivent rapidement changer puisque, comme pour l'ensemble des cancers modernes, le nombre de cas progresse.

Certes, en valeur absolue, il demeure rare qu'un homme se voit touché par cette forme de cancer. On estime ainsi qu'elle représente 1 % de la totalité des cancers du sein aux États-Unis. Mais, comme le précise un chirurgien de Portland, les dernières

---

1. In *Eugene Register-Guard*, 21 juin 2000 et http://www.annieappleseedproject.org/malbreascan.html.

années ont vu une *brusque* augmentation des opérations de mastectomie radicale modifiée [1]. Entre 1973 et 1998, en données corrigées, le nombre d'Américains victimes a augmenté de 26 %. Une tendance qui s'est accélérée. Si, en 1996, les malades étaient seulement 1 300, quatre ans plus tard, on en comptait 1 600. Mais, en 2007, ils étaient 2 400 et 3 000 aujourd'hui. Autrement dit : en à peine dix ans, le nombre d'hommes malades du cancer du sein a plus que doublé.

En France aussi, la maladie est présente. On estime – les travaux de recherches sont, hélas !, rares – que, chaque année, 250 Français apprennent qu'ils sont touchés par ce cancer. Comme il n'y a aucune raison de penser que la France suit un développement à part, il y a fort à parier qu'on va assister à un accroissement de ce nombre.

Pire. Grâce au site courageux tenu par un ancien malade [2] ou au forum mis en place par France 2 à l'occasion de l'émission *Le Cancer sort de l'ombre* [3], on constate que les victimes rencontrent les mêmes difficultés que celles de leurs homologues américains, les mêmes ostracismes, discriminations et

1. *Idem.*

2. Parmi les témoignages présents sur le site, l'un fait écho aux difficultés de Dave Lyons : « C'est vrai que peu le savent et que même des institutions en charge de santé l'ignorent. L'une de mes collaboratrices vit un vrai drame ; son mari, cinquante-cinq ans, a un cancer du sein. Envoyé faire une mammo dans un cabinet de radio, la secrétaire de l'accueil se met à éclater de rire ! Il est parti sans mammo, vexé et a décidé de ne pas se soigner car, dit-il, "il n'est pas homo" ! Sa femme, depuis six mois, ne parvient pas à le raisonner ! », http://cancerduseinchezlhomme.neuf.fr/.

3. Http://forums.france2.fr/france2/Le-cancer-sort-de-l-ombre/liste_sujet-1.htm.

incrédulités médicales. Le mal est donc bien présent.

*

Il reste à comprendre pourquoi de plus en plus d'hommes sont victimes d'un cancer jusque-là estimé réservé aux femmes.

Je viens de l'écrire, les recherches sur le sujet sont extrêmement rares. Pour autant, quelques données sont analysables. On estime par exemple que 15 à 20 % des cas sont liés à l'hérédité génétique, la mère ou la sœur d'un malade du cancer du sein ayant elle-même développé des métastases. Soit deux malades sur dix. Et les autres alors ?

La réponse apportée est une nouvelle fois la même : les fameux facteurs environnementaux.

Dès lors, pourquoi ne pas appliquer à ce cancer masculin les explications que j'ai avancées pour comprendre la progression de la maladie chez les femmes ?

Dans tous les cas, c'est la piste étudiée par les médecins et chercheurs du MD Anderson Cancer Center de l'université du Texas à Houston. En août 2007, constatant un accroissement du nombre de patients mâles atteints, le centre a conclu que l'« exposition, en perpétuelle augmentation, à la nourriture semblait jouer un rôle [1] ».

La toxic food frappe donc où on ne l'attend pas. Et ce ne sont ni Dave Lyons ni ces hommes victimes d'une « maladie de femme » qui chercheraient à me contredire.

---

1. *Male Breast Cancer Numbers Increasing*, University Of Texas, MD Anderson Cancer Center, août 2007.

24

Inuits

Ma plongée dans les eaux sombres de la toxic food n'était pas pour autant terminée. J'étais même loin de la pointe visible de l'iceberg, à savoir la pandémie d'obésité. Mais j'étais au moins parvenu à l'endroit où, dans son appétit destructeur, la nouvelle malbouffe nous visait tous.

Les cancers du sein, de la prostate, du côlon... en train de se multiplier constituaient autant de preuves semées accidentellement par l'assassin.

Avant de quitter cette scène de crime, il me faut donc définitivement clore le dossier.

*

On trouve dans les premières pages d'*Anticancer*, le livre de David Servan-Schreiber, un paragraphe résumant les données du problème : « En Asie, les cancers qui affligent l'Occident – comme le cancer du sein, le cancer du côlon ou de la prostate – sont de sept à soixante fois moins fréquents. Chez les hommes asiatiques qui décèdent de causes autres que le cancer, on trouve pourtant autant de micro-tumeurs précancéreuses dans la prostate que chez les Occidentaux. Quelque chose dans leur façon de vivre empêche ces tumeurs de se développer. En revanche, chez les Japonais installés en Occident, le taux de cancer rattrape le nôtre en une ou deux générations. Quelque chose dans notre façon de vivre empêche notre corps de se défendre efficacement contre cette maladie [1]. »

Vous l'avez maintenant compris : personnellement, quand j'envisage les responsables possibles de ces cancers, je préfère évoquer la manière dont nous nous nourrissons plus que notre façon de vivre. Mais puisque l'art de manger est un art de vivre, ne s'agit-il pas, après tout, de la même chose ?

Mais revenons aux propos de Servan-Schreiber. Se fondant sur d'innombrables travaux réalisés depuis des décennies sur la répartition géographique des cancers, il démontre, par exemple, que si, *génétiquement,* un Asiatique court les mêmes risques de développement d'un cancer de la prostate qu'un Occidental, son mode de vie l'en préservera. Et qu'en revanche, immergé dans nos sociétés et adoptant notre façon de manger, il deviendra

1. Insistant sur le fait que les cancers modernes sont avant tout le résultat de notre façon de vivre, David Servan-Schreiber écrit encore : « Si le cancer se transmettait surtout génétiquement, les enfants adoptés auraient le taux de cancer de leurs parents *biologiques* et non celui de leurs parents *adoptifs.* [...] Une autre étude, de l'institut Karolinska en Suède, [...] montre que des jumeaux *génétiquement identiques* le plus souvent ne partagent *pas* le risque d'avoir un cancer. [...] Ce résultat indique que l'environnement tient le rôle principal parmi les causes des cancers courants », *Anticancer, op. cit.*

malade. Ce qui atteste combien le problème se niche au fond de nos assiettes.

De multiples expériences et constatations confirment cette thèse, sans que les géants de l'agroalimentaire s'en préoccupent. Ainsi, les Aborigènes d'Australie sont malades lorsqu'ils s'installent dans les grandes villes, mais guérissent en retournant à une existence en accord avec la nature [1]. Une réalité constatée aussi chez les Indiens Mi'kmaq de l'île Unama'ki dans la région de Nova Scotia au Canada [2]. Résultat, adopter un mode de vie « occidentalisé » conduit à une évolution sanitaire identique : la maladie.

Mieux, une récente étude consacrée aux Inuits du Groenland [3] a comparé les taux et genres de cancers entre les individus restés dans leur milieu d'origine et ceux ayant émigré au Danemark.

Mais avant de détailler ces découvertes, deux mots s'imposent sur d'autres Inuits, ceux du Canada et de l'Alaska. En 1935, après cinquante ans de tenue des registres médicaux, on constatait que la peuplade indienne avait connu un seul cas de cancer. Aujourd'hui, après un premier pic survenu dans les années 1970 puis une nouvelle augmenta-

---

1. Kerin O'Dea, « Marked Improvement in Carbohydrate and Lipid Metabolism in Diabetic Australian Aborigines after Temporary Reversion to Traditional Lifestyle », *American Diabetes Association*, juin 1984, http://grande.nal.usda.gov/.

2. Michael P. Milburn, « Indigenous Nutrition : Using Traditional Food Knowledge to Solve Contemporary Health Problems », *The American Indian Quarterly*, volume 28, n° 3-4, 2004.

3. Trine Boysen, Jeppe Friborg, « The Inuit Cancer Pattern : the Influence of Migration », *International Journal of Cancer*, juin 2008.

tion apparue au milieu des années 1980, on a mis au jour un taux de cancer équivalant à celui des États-Unis et du Canada [1]. Pas de doute : voilà ce que l'on appelle payer le prix du progrès !

Mais revenons à l'étude de Trine Boysen et Jeppe Fribord. Analysant l'état sanitaire de 77 888 Inuits sur une période vingt ans, soit entre 1973 et 2003, l'équipe de scientifiques danois a conclu que si les risques de cancers dits génétiques étaient identiques entre l'Inuit ayant rejoint la société moderne et celui demeuré au Groenland, il n'en allait pas de même pour d'autres formes de cette maladie. « Les Inuits ayant immigré au Danemark sont exposés de manière significative à un risque plus élevé de développement d'un cancer de la vessie, du sein, de la peau, de la prostate, du côlon et de l'estomac [2] », indique le rapport.

Malgré eux, en venant s'installer dans nos sociétés modernes et en adoptant notrc modc de consommation, les Inuits ont donc prouvé que la probabilité de contracter un cancer de « type occidental » n'était pas une question de naissance mais une affaire d'alimentation.

*

La suite me semblait logique : je devais comprendre pourquoi le recours à la toxic food se transformait en cancers.

---

1. Randall Fitzgerald, *The Hundred-Year Lie,* Plume, 2006.
2. *Idem.*

25

Gazon

Le professeur T. Colin Campbell use d'une analogie efficace lorsqu'il s'agit de décrire les trois phases du cancer.

Pour ce scientifique américain, un cancer « pousse » comme du gazon : « L'initiation correspond à l'ensemencement, la promotion à la germination et à la pousse, et la progression à la prolifération de l'herbe qui envahit l'allée, la rocaille et le trottoir [1]. »

Or, dans deux de ces étapes, la toxic food tient un rôle essentiel.

*

L'« initiation » correspond en somme au moment où, telle une graine, le cancer s'implante dans l'organisme. L'Américain explique : « Les substances chimiques responsables de ce processus sont appelées des carcinogènes. Ces substances sont le

1. *Le Rapport Campbell, op. cit.*

plus souvent des dérivés de procédés industriels [...] Ces carcinogènes transforment génétiquement (font muter) les cellules normales en cellules prédisposées au cancer. Une telle mutation cause une altération permanente des gènes de la cellule, ce qui endommage l'ADN [1]. »

ADN endommagé et cellules génétiquement transformées...

Voilà deux résultantes de l'intrusion de carcinogènes dans l'organisme qui ont un écho familier. Et pour cause, ce sont exactement les termes utilisés par le professeur Mirvish de l'Université du Nebraska pour évoquer les effets des nitrites [2] contenus dans les saucisses de hot-dogs en particulier et la charcuterie industrielle en général [3] ; conclusions que la « machine à détruire » de l'agroalimentaire avait voulu broyer.

Mirvish, preuves à l'appui, démontrait que le processus industriel de fabrication des spécialités à base de viande entraînait la formation de nitrosamine suite à l'union des nitrites et amines. Or les nitrosamines, que l'on trouve par exemple dans la fumée du tabac, sont des substances chimiques classées cancérigènes par l'Organisation mondiale de la santé. Dès lors, il ne fait aucun doute que les nitrites permettant de conserver le saucisson industriel ou de procurer

1. *Idem.*

2. Pour une liste – en anglais – des risques liés à la consommation de nitrites et des aliments dans lesquels on les trouve, voir http://www.sixwise.com/newsletters/07/08/22/the-dangers-of-nitrites-the-foods-they-are-found-in-and-why-you-want-to-avoid-them.htm.

3. On les retrouve également dans certains plats préparés et petits pots pour bébés : http://www.atsdr.cdc.gov/csem/nitrate/nitrate.html.

un bel éclat rosé à des tranches de jambon sont l'un des carcinogènes décrits par Campbell.

Un, mais malheureusement pas le seul. Car lorsque le professeur américain précise qu'il s'agit « le plus souvent de dérivés de processus industriels », il précise aussi que la source principale de la pollution de l'organisme n'est pas l'air respiré mais la nourriture ingérée. À ce titre, en plus des nitrites, on peut citer les pesticides présents sur les fruits et légumes issus de l'agriculture conventionnelle, fruits que, suivant les préceptes gouvernementaux, nous essayons de consommer de plus en plus souvent.

Ainsi nombre de ces produits sont considérés comme cancérigènes. Parfois, les plus dangereux, après des décennies d'usage intensif, sont interdits sur nos territoires. L'ennui, c'est que, même après cette éviction, leur présence dans l'environnement persiste [1]. Pire, il n'est pas rare que les fabricants de produits interdits continuent à en produire à destination des pays à législation plus souple. Parmi eux, la presque totalité des États d'Amérique du Sud et d'Amérique latine ainsi qu'une partie de l'Asie et l'Afrique. Résultat ? Les produits interdits ici reviennent par leur intermédiaire dans nos assiettes afin, *in fine*, d'empoisonner nos organismes. Les fruits et légumes importés sont souvent dangereux. Consommer le plus possible des aliments issus de l'agriculture biologique et locale n'a donc jamais eu autant de sens.

1. C'est le cas du DDT dont l'utilisation est interdite depuis 1972 mais que, test après test, génération après génération, nous continuons à « porter » dans nos organismes.

Et puisque j'évoque les effets cancérigènes des pesticides, autant en profiter pour tordre définitivement le cou à un mensonge colporté depuis des années par les gardiens de l'agriculture industrielle.

26

Tests

L'intention se veut rassurante. Lorsque les représentants de l'industrie chimique et de l'agriculture intensive sont montrés du doigt, leur réponse sur les doses de pesticides est toujours la même : vu les quantités utilisées, « il est prouvé » que leurs produits ne sont pas dangereux.

Que dire ?

D'abord, que lorsqu'un test a effectivement été effectué – ce qui n'est pas toujours le cas –, la méthode utilisée est au mieux incomplète, au pire faussée. Je ne vais pas ainsi m'étendre sur le fait que les autorités gouvernementales, dépassées par le coût financier de telles études, se contentent fréquemment d'approuver un produit à partir des dossiers fournis... par le fabricant. En revanche, il est important de s'arrêter sur quelques vices de forme de ces expérimentations.

*

Ainsi, dans la majorité des cas, les doses validées sont celles que l'on estime inoffensives pour un homme adulte dans la fleur de l'âge. Un vieillard, une femme, un enfant ou un bébé peuvent donc souffrir de cette subtile différenciation.

Les tests en laboratoires se concentrent globalement sur les répercussions éventuelles d'un seul ingrédient, personne ne semblant s'intéresser aux dégâts nés de la « synergie » entre différents ingrédients cancérigènes, même à faibles dosages. Comme si notre exposition au risque se limitait à l'un d'eux et pas à la combinaison de tous. Un « isolement » d'autant plus absurde que la plupart des pesticides, herbicides et fongicides croisent les ingrédients dangereux. Et que notre mode de vie et d'alimentation lui-même crée ce cocktail dont nous n'avons aucune idée des conséquences à long et moyen termes.

Personne ne semble s'intéresser non plus au fait que, contrairement aux tests *in vitro,* nos organismes accumulent ces produits cancérigènes depuis l'âge embryonnaire. Si l'un peut ne pas être dangereux dans un dosage établi en laboratoire, qu'arrive-t-il lorsque, mélangé à d'autres, il agit pendant des décennies dans le corps et connaît, en outre, des renforts fréquents d'autres agresseurs ? Eh bien les rares études entreprises sur le sujet n'apportent pas de bonnes nouvelles puisqu'elles démontrent un rôle prépondérant de la durée d'exposition dans la prolifération de certains cancers et de maladies neurologiques.

Quoi qu'il en soit, il apparaît comme un devoir de citoyen de faire de cet axe de recherche une priorité des années à venir.

*

Concernant l'environnement et les risques toxiques, les années 1970 représentent un tournant majeur.

Après des décennies d'excès et de complète « liberté chimique », poussés par les pionniers du mouvement écologiste et une prise de conscience des citoyens choqués par une série de catastrophes industrielles, les hommes politiques se décident à intervenir et à réglementer ce secteur. Et, en 1976, le Congrès vota le *Toxic Substances Control Act* (TSCA)[1].

Vous l'ignorez sûrement mais cette loi américaine, que l'on vive à Marseille ou à Québec, à Séoul ou à Rome, nous concerne tous. Pour le meilleur et pour le pire.

Le meilleur d'abord. Avant ce scrutin historique obtenu après six années de combat politique acharné, les pays occidentaux ne disposaient pas du moindre texte régulant la création, la production et l'usage des produits chimiques. Née avant la Seconde Guerre mondiale, bénéficiant d'un essor sans précédent depuis la fin du conflit, l'industrie chimique pouvait agir en toute liberté, lançant près de 62 000 substances différentes sans la moindre obligation de les tester au préalable ! Or, inspirés par le texte américain et le vote du TSCA, les pays d'Europe de l'Ouest – dont la France – suivirent le mouvement et adoptèrent, à leur tour, des lois similaires dont le principal mérite était d'exiger le recours à des tests de dangerosité pour chaque nouveau produit.

---

1. Http://www.epa.gov/lawsregs/laws/tsca.html.

Mais voilà, le TSCA de 1976 souffre d'une énorme faille. Une faille monumentale creusée au burin du lobbying par l'industrie chimique elle-même. Profitant du fait que le Congrès et la Maison-Blanche avaient annoncé que la future loi serait écrite en accord avec l'industrie pour ne pas entraver la croissance économique, les géants du secteur ont inséré dans le texte une véritable bombe à retardement.

S'ils acceptaient que chaque *nouveau* produit soit testé, en échange ils exigeaient que le texte ne puisse être rétroactif, donc ne concerne pas les substances et ingrédients déjà sur le marché. De quoi permettre qu'on y recoure comme avant.

En clair, cela signifie globalement que, sur les 82 000 produits chimiques commercialisés en 2009, 62 000 n'ont jamais été testés !

Comme l'Europe s'inspira du TSCA, la même disposition se retrouva dans les réglementations, évitant aux fabricants d'avoir à fournir les moindres données de sûreté relatives aux substances vendues avant 1981.

L'entrée en vigueur, en juin 2007, d'une nouvelle réglementation chimique baptisée REACH [1] était censée combler la faille. Et n'y parvint en rien. D'abord parce que l'enjeu humain et le coût financier qu'exigeaient des tests pratiqués sur les produits antérieurs à 1981 ont empêché de revenir en arrière. Ensuite parce qu'on limita son champ d'action aux seules substances « extrêmement préoccupantes », à l'exclusion des... pesticides relevant d'autres législations. Bref, dans ces conditions, parler de produits

1. Http://www.greenpeace.org/france/vigitox/informations/reach.

testés reste un mensonge qui a encore de beaux jours devant lui.

Dès lors, on ne peut qu'être d'accord avec ce que déclarait le 21 octobre 1976 Russel E. Train.

Ignorant la disposition libérant de toute obligation d'information l'industrie chimique, pensant que le TSCA permettrait ces nouvelles batteries de tests, l'administrateur de l'Environmental Protection Agency (EPA), équivalent américain de notre ministère de l'Environnement, exprimait sa fierté en ces termes : « Cette loi est l'un des gestes les plus importants de "médecine préventive" jamais votés [1]. » Revenant sur les 62 000 produits commercialisés sans aucun contrôle, ignorant l'ironie future – et terrible – de ses propos, il avait conclu – et c'est là que je le rejoins : « Nous en savons peu – abyssalement peu – sur ces produits chimiques. Nous ne savons presque rien de leurs effets sur notre santé, et plus particulièrement en cas d'exposition minime mais à long terme. Nous en savons fort peu sur le nombre d'êtres humains exposés à ces produits. Ni comment ils le sont et jusqu'à quel degré. Nous ne savons même pas précisément combien de produits chimiques – et encore moins précisément lesquels – sont créés chaque année et mis sur le marché [2]. »

Or, trente ans après, en savons-nous beaucoup plus ?

---

1. Http://www.epa.gov/history/topics/tsca/03.htm.
2. *Idem.*

27

Steak

Revenons au professeur Campbell et à sa métaphore du gazon. Et plus particulièrement à la première phase durant laquelle les substances chimiques s'implantent dans notre organisme.

Nous venons de le voir, les nitrites – via la charcuterie industrielle et certains plats destinés aux bébés – sont l'un de ces carcinogènes. Et les pesticides utilisés pour les fruits et légumes par l'agriculture intensive un autre. Mais il ne faut pas oublier la viande industrielle, du poulet au bœuf, autre vecteur de transmission non négligeable.

Comme je l'ai raconté en détail dans *Toxic,* les conditions d'élevage lamentables de ces animaux ont de nombreux effets sur notre environnement et notre santé. Or l'un d'eux correspond parfaitement à la description des carcinogènes faite par le chercheur américain.

Des analyses menées par l'USDA ont en effet démontré que le gras animal des viandes conservait lui aussi une partie des substances cancérigènes auxquelles l'animal a été exposé en élevage. Parmi lesquelles des scientifiques du département de l'Agriculture ont mis au jour des pesticides, des fongicides – ils sont présents dans la nourriture et le bétail en est copieusement arrosé [1] –, des hormones, des antibiotiques et même de l'arsenic. Un cocktail hautement toxique à potentiel cancérigène que nous ignorons avaler à chaque bouchée. En somme, sans nous en rendre compte, en mangeant nous payons un lourd tribut humain uniquement pour obtenir un steak à bas prix.

*

Il est évidemment impossible d'établir ici une liste complète des carcinogènes et de leurs vecteurs. Comme il est impossible de les éviter au quotidien tant ils font partie de notre environnement.

Il faut en revanche garder à l'esprit que nombre d'entre eux sont des composants essentiels de la toxic food. Et donc, *en théorie,* parfaitement évitables si on modifie nos choix alimentaires. L'ennui, c'est que le consommateur ignore la présence de ces éléments cancérigènes dans sa nourriture. Comme il a longtemps ignoré la présence et le rôle néfaste des acides gras-trans. Car, évidemment, l'huile partiellement hydrogénée n'est pas le seul élément de la cuisine industrielle qui pose problème.

Plus qu'à un consommateur forcément impuissant, la responsabilité du recours à ces substances et ingrédients incombe donc bien aux industriels qui les choisissent, aux publicitaires qui les rendent

1. Voir *Toxic, op. cit.*

attrayants et aux politiques qui préfèrent détourner le regard.

Alors qu'entre certitude de la toxicité d'un produit et doute sur son rôle sanitaire on devrait recourir au concept si répandu du principe de précaution, on ne fait rien.

Pourquoi ?

28

Tunnel

Les fermiers de la péninsule de Bjare, au sud-ouest de la Suède, n'avaient jamais rien vu de semblable. En septembre 1997, d'étranges phénomènes touchaient les animaux d'élevage [1]. Le taux de mortalité des poissons élevés en bassins de culture s'affolait tandis que de nombreuses vaches mouraient brutalement après avoir subi une paralysie.

Rapidement, l'attention des habitants de la région se porta sur l'immense chantier de construction du tunnel ferroviaire de Hallandsås. Une intuition correcte. Confrontée à de nombreuses fuites d'eau, la multinationale Skanska [2], en charge de l'ouvrage, avait utilisé plus de mille quatre cents tonnes de Rhoca-Gil, produit scellant destiné à

---

1. Une partie de la chronologie de l'affaire de Bjare a été effectuée à l'aide de l'article : « Acrymalide and Cancer : Tunnel Leak in Sweden Prompted Studies » de Tom Reynolds, paru dans le *Journal of the National Cancer Institute* (19/06/2002, Oxford University Press, http://jnci.oxfordjournals.org/cgi/content/full/94/12/876).

2. Http://en.wikipedia.org/wiki/Skanska.

rendre les voûtes étanches. Or le produit avait fui à son tour, polluant vingt-cinq réserves aquifères, contaminant l'eau de la région et, en bout de chaîne, empoisonnant le bétail.

*

Fabriqué par Rhône-Poulenc, le Rhoca-Gil avait déjà été évoqué comme responsable dans un incident similaire survenu quelques mois plus tôt en Norvège, lors de la construction de la ligne Gardermoen. Et le gouvernement norvégien avait décidé de bannir le scellant français.

Du côté de Bjare, avant même que l'enquête aboutisse, le groupe chimique français prit les devants et, le 22 octobre 1997, annonça qu'il cessait « la production et la commercialisation du Rhoca-Gil[1] ».

Ce geste de bonne volonté avait-il été motivé par la colère des Suédois et notamment d'Anna Lindh, ministre de l'Environnement, décidés à poursuivre devant les tribunaux les responsables de cette catastrophe écologique ? D'aucuns l'avancent. D'autant qu'au début de l'affaire Rhône-Poulenc avait rejeté la responsabilité de cette pollution sur la multinationale Skanska et ses ouvriers suspectés de n'avoir pas respecté les instructions lors du mélange.

Quoi qu'il en soit, après cinq années d'instruction et d'expertises multiples, les tribunaux condamnèrent les deux compagnies[2]. Le gouverne-

---

1. Http://www.leleux.be/leleux/JLCHome.nsf/WebRevuesFR/EF50B5C1C93CEB60C1256538002ED59D?opendocument&FR.

2. En mars 1999, avant même d'être condamné, Skanka a versé plus de 30 millions de couronnes à des ouvriers contaminés par le Rhoca-Gil.

ment suédois avait en effet réussi à prouver que le géant français de la chimie n'avait pas respecté le *Lagen om kemiska produkter, SFS 1985 : 426*[1], n'accompagnant pas son produit d'instructions mentionnant les dangers liés à son utilisation, dont certaines répercussions sur le système nerveux périphérique[2].

*

Quel est le rapport entre un tunnel en Suède, le Rhoca-Gil et la nouvelle malbouffe ?

Un produit chimique, utilisé dans l'industrie des plastiques et présent dans la formulation de la plupart des scellants. À savoir le 2-propénamide, dont la formule brute est C3H5NO et le nom usuel acrylamide. Or l'acrylamide apparaît dans de nombreux aliments.

C'est sous cette appellation qu'il figure dans les conclusions du comité mixte FAO/OMS, groupe d'experts étudiant les additifs alimentaires (JECFA) qui, en 2005, déclarait que cette molécule présentait un risque pour la santé humaine et jugeait l'acrylamide cancérigène.

Mais pour comprendre la portée de ces conclusions au quotidien, il faut retourner en Suède.

*

1. Que l'on peut traduire par « Loi sur les produits chimiques ». Loi votée en 1985.
2. Http://www.eurofound.europa.eu/eiro/2002/02/feature/se0202106f.htm.

Margareta Törnqvist est l'une des chercheuses les plus réputées du département de chimie environnementale de l'université de Stockholm. À ce titre, en 1998, le gouvernement suédois lui a demandé de mesurer le taux d'acrylamide contenu dans le sang des ouvriers œuvrant sur le tunnel de Hallandsås.

Utilisant la spectrométrie de masse, elle n'eut guère de difficulté à établir sa présence. Ce qui l'intrigua, ce fut une autre découverte. Voulant étudier en parallèle les taux de cette même substance sur un panel neutre car composé de sujets n'ayant pas été exposés aux émanations de Rhoca-Gil, elle entama des comparaisons. Et eut la surprise de voir ce second groupe présenter également de l'acrylamide dans son sang.

À des quantités suffisamment importantes pour que Törnqvist débouche sur l'hypothèse lui paraissant la plus probable : la source d'intoxication devait résider dans l'alimentation [1].

Poursuivant cette piste, elle publia, en juin 2000, une étude complémentaire aux conclusions dérangeantes [2].

Partant du principe que l'acrylamide peut se former spontanément lorsque la température de cuisson dépasse les 120 °C [3], son équipe avait nourri des rats uniquement de nourriture frite. Ensuite, en comparant le taux d'acrylamide de cet échantillon

---

1. In *Acrylamide and Cancer, op. cit.*
2. Margareta Törnqvist (*et al.*), « Acrylamide : a Cooking Carcinogen ? », *Chemical Research in Toxicology*, juin 2000, http://www.ncbi.nlm.nih.gov/pubmed/10858325?dopt=Abstract.
3. Les recherches ont révélé que l'acrylamide se forme lorsque des aliments riches en glucides sont chauffés au-delà de 120 °C, par exemple si l'on fait griller du pain, torréfier du café ou frire des pommes de terre.

avec un autre nourri d'aliments non cuits, les chercheurs avaient pu émettre des conclusions sans appel. La présence d'acrylamide dans le sang des rongeurs nourris à la friture était telle que la scientifique estima que « la quantité ingérée [était] associée à un risque considérable de cancer [1] ».

Décidée à en savoir plus quant aux bombes à retardement dissimulées dans notre alimentation, l'équipe de Törnqvist poussa son enquête et mesura le taux d'acrylamide dans différents aliments. Des découvertes qui, publiées en 2002 [2] et 2003 [3], ont permis de dresser une liste précise et facilement mémorisable des dangers qui nous menacent.

Les études menées par la Suédoise établissent que l'acrylamide se forme lorsqu'on cuit à haute température des aliments riches en hydrate de carbone, donc en amidon et en sucres comme la pomme de terre. En clair, les chips et les frites sont les plus exposées à une contamination à l'acrylamide. Mais ils ne sont pas les seuls puisque de nombreux produits apéritifs style crackers, ainsi que les biscuits [4] et certaines pâtisseries figurent en haut de cette liste.

Les céréales du petit déjeuner et les chips à base de maïs présentent quant à elles un risque médian, tandis que les aliments bouillis et à base de viande, même frits, font courir un danger plus négligeable.

---

1. *Idem.*
2. « Analysis of Acrylamide, a Carcinogen Formed in Heated Foodstuffs », *Journal of Agricultural and Food Chemistry*, 50(17), 2002.
3. « Investigations of Factors that Influence the Acrylamide Content of Heated Foodstuffs », *Journal of Agricultural and Food Chemistry*, 51(24), 2003.
4. Entre autres, ceux contenus dans les barres chocolatées.

Les chips et les frites...

Le rapport entre un tunnel en Suède, le Rhoca-Gil et la toxic food était donc établi.

*

Résumons-nous.

Entre 2000 et 2003, une équipe de scientifiques suédois menée par Margareta Törnqvist a publié une série d'études démontrant que la préparation de divers aliments comme les frites entraînait la formation d'un cancérigène, l'acrylamide. Cancérigène que l'on trouvait ensuite en grande quantité dans l'organisme d'un animal nourri avec ces produits.

Que s'est-il passé depuis ?

D'abord, suivant de près les travaux de Törnqvist, le *Livsmedelsverket*, organisme gouvernemental en charge de la sécurité alimentaire en Suède, a effectué ses propres recherches. Et publié des résultats qui confirment ceux de la chercheuse. Non seulement dans le processus de formation de l'acrilamyde lié aux hautes températures de cuisson mais aussi dans l'ordre de concentration par produits. Aussi, le *Livsmedelsverket* a-t-il édicté que, puisque la consommation d'aliments frits représentait déjà en soi un risque cardio-vasculaire, mieux valait éviter d'en manger.

Et en Europe ? Suite aux conclusions de Törnqvist, la Commission a « entamé (en 2002) le recueil des données d'occurrence de taux d'acrylamide dans les aliments, tâche ensuite confiée à l'EFSA [1] (en 2006), en collaboration avec les États membres [2] ».

1. European Food Safety Authority, http://www.efsa.europa.eu.
2. Http://fr.wikipedia.org/wiki/Acrylamide.

Toujours en 2002, le comité mixte FAO/OMS d'experts des additifs alimentaires (JECFA) via son président, le docteur Dieter Arnold, déclarait : « Après avoir examiné les données disponibles, nous avons conclu que ces nouveaux résultats révélaient un problème sérieux. Mais nos connaissances actuelles ne nous permettent pas de répondre aux questions posées par les consommateurs, les responsables de la réglementation et les autres parties intéressées [1]. »

En mars 2005, après une série d'études complémentaires, le Comité publia un document de cinq pages au titre on ne peut plus clair : « L'acrylamide dans les produits alimentaires est un danger potentiel pour la santé [2]. »

De son côté, l'EFSA diffusa une liste de conseils pratiques destinés à éviter, dans nos cuisines comme au niveau industriel, l'augmentation de cette substance cancérigène dans les aliments. Parmi lesquels, après l'habituelle mise en garde contre les dangers d'un excès de nourriture frite pour le cœur, l'EFSA recommandait de ne pas garder les pommes de terre au réfrigérateur ni utiliser celles ayant germé ou verdâtres – conditions d'accélération du processus de formation de l'acrylamide –, de réduire le temps de friture et d'éviter les aliments carbonisés au cours de la cuisson.

En plus de cette fiche, l'EFSA valida, entre 2007 et 2009, la nécessité de surveiller chaque année, dans vingt et un pays, le taux d'acrylamide [3].

---

1. Http://www.who.int/mediacentre/news/releases/release 51/fr/index.html.
2. Http://www.who.int/entity/foodsafety/fs_management/ No_02_Acrylamide_Mar05_fr_rev1.pdf.
3. Http://www.efsa.europa.eu/EFSA/efsa_locale-11786207 53812_1211902585656.htm.

De son côté, Santé Canada, après avoir ajouté l'acrylamide à la liste des substances toxiques en août 2009, lança un mois plus tard une campagne de surveillance de son taux dans la nourriture semblable à celle suivie par l'EFSA.

Enfin, le 2 septembre 2009, l'Agence européenne des produits chimiques mit en ligne une nouvelle liste de quinze substances potentiellement très préoccupantes proposées par les États membres et la Commission européenne. Où figure l'acrylamide.

Et ensuite ? Eh bien... c'est à peu près tout !

29

Doute

Or, pendant que les organismes gouvernementaux s'interrogeaient et surveillaient le taux de ce cancérigène dans l'alimentation, en coulisses se déroulait une âpre bataille.

Car on s'en doute, si une part de la prévention du risque se joue dans nos cuisines et nos préparations à base de friture, l'enjeu essentiel tient à la nourriture industrielle. Et plus particulièrement à la confection des frites et chips, produits où la concentration d'acrylamide est la plus élevée.

Évidemment, les découvertes de Törnqvist ont été accueillies comme une... patate chaude par les géants de l'agroalimentaire. Qui ont dû s'étrangler encore plus en voyant, parmi les conseils publiés par divers organismes, la recommandation d'utiliser les variétés de pomme de terre les moins riches en sucre alors que, comme je l'ai raconté plus haut, l'industrie de la chips préfère le contraire, les patates plus douces « accrochant » mieux le consommateur.

Alors ?

Alors, était venu le temps de revenir aux batailles de propagande classiques.

*

En 1953, l'industrie de la cigarette se trouva sous les feux croisés d'assauts de certains élus et d'études prouvant le rôle cancérigène de la consommation de tabac.

John Hill, avocat et fondateur du cabinet de relations publiques Hill & Knowlton, fut chargé par les fabricants de cigarettes d'organiser la contre-attaque. Dans un mémorandum intitulé « Le doute est notre produit [1] » adressé au Tobacco Institute, groupement réunissant l'ensemble des fabricants, l'avocat élabora trois axes de réplique destinés à préserver le *statu quo* le plus longtemps possible. Trois axes résumés en trois verbes : confondre, détruire et calmer.

John Hill travaillait pour le compte des cigarettiers. Mais, cinquante ans plus tard, qu'il soit question de la responsabilité des fast-foods et des vendeurs de sodas dans la pandémie d'obésité, qu'on mette au jour le rôle du sirop de fructose-glucose dans sa progression comme des acides gras-trans dans l'augmentation des risques d'accidents cardio-vasculaires ou qu'on évoque les dangers des acrylamides, ses préceptes sont scrupuleusement appliqués par les fabricants de la nouvelle malbouffe pour contester leurs détracteurs.

Et le doute est l'arme de défense principale des gardiens de la toxic food.

---

1. Lire à ce sujet le bien-nommé *Doubt is our Product* de David Michaels (Oxford University Press, 2008).

30

Confondre

Le doute se nourrit de la confusion.

Et représente le premier étage de l'entreprise de désinformation érigée par les géants de la nouvelle malbouffe pour déstabiliser leurs adversaires.

Comme, hier, avec les cigarettiers.

Dans un autre mémorandum [1], toujours rédigé par les experts en communication du cabinet Hill & Knowlton à destination de William Kloepfer, président du Tobacco Institute, Carl Thompson avait élaboré des cibles à viser pour retourner l'opinion.

Le premier groupe, bien avant les médias et le consommateur, était selon lui celui des... médecins. Car à qui d'autre que son docteur le consommateur inquiet demande-t-il conseil ? La bataille de l'opinion se gagne d'abord dans le secret des cabinets médicaux [2].

---

1. « Memorandum to William Kloepfer Jr. », The Tobacco Institute Inc, 18 octobre 1968. Disponible sur le www.williamreymond.com.

2. Comme je le raconte, illustration à l'appui, dans *Toxic*, l'infiltration du milieu médical par les cigarettiers poussa

Outre un rôle prescripteur, les maîtres de la communication de crise ont compris, comme les laboratoires pharmaceutiques, qu'un médecin submergé d'informations n'a, finalement, peu ou pas le temps de s'informer correctement. De fait, dans un paragraphe insistant sur l'obligation de recourir à des mots clefs frappants dans les titres des communiqués de presse fournis aux médias – et aujourd'hui encore souvent reproduits *in extenso* sans vérification –, Thompson notait : « Ils doivent être conçus avec le plus grand soin en pensant que les médecins et les scientifiques, comme les autres lecteurs, intègrent le plus souvent une information en lisant le titre et rien de plus [1]. »

Après la publication de *Toxic*, j'ai moi-même été contacté par de nombreux médecins. Qui, tous, regrettaient le peu de place consacrée à la nutrition dans leur formation et se plaignaient de la difficulté d'y voir clair dans l'avalanche d'informations parfois contradictoires reçues, désappointements formulés, quelquefois avec... virulence [2].

Ce point est intéressant et ne doit rien au hasard : la contradiction nourrit la confusion. Ainsi, dans son rapport, Thompson listait une série d'angles d'attaque susceptibles de faire douter les médecins

---

même Camel à créer une campagne de publicités où de vrais docteurs recommandaient cette marque plutôt qu'une autre.

1. « Memorandum to William Kloepfer Jr. », The Tobacco Institute Inc, 18 octobre 1968. Disponible sur le www.williamreymond.com.

2. « Médecin généraliste diplômée en nutrition, je vous remercie de diffuser au grand public des informations souvent mal connues de certains médecins qui font trop confiance aux lobbies pharmaceutiques ou alimentaires pour leur formation post-universitaire. » Courriel du docteur Monique S., 7 mars 2007.

et le public de la véracité du lien entre la cigarette et le cancer du poumon. En conclusion, il professait : « Le type d'articles le plus important est celui qui va faire naître le doute [1]. »

Autres temps, autres mœurs ? Hélas, non. La réplique a usé des mêmes méthodes. Et les découvertes relatives à la présence d'acrylamide dans l'alimentation ont été soumises à des pratiques semblables. L'exemple qui suit, un parmi tant d'autres, l'illustre parfaitement.

*

L'exercice est redoutablement simple. Il suffit, dans n'importe quel moteur de recherche, de taper les deux expressions « acrylamide » et « breast cancer [2] ».

Et là, d'emblée, la confusion apparaît.

La première occurrence avance qu'une étude a prouvé que l'acrylamide n'était pas liée à une augmentation des risques du cancer du sein [3] tandis qu'une deuxième explique au contraire que de « nouvelles découvertes pourraient prouver que l'acrylamide augmente le cancer du sein [4] » ! Perdu, désemparé, le pauvre internaute vient, sans le

---

1. « Memorandum to William Kloepfer Jr. », The Tobacco Institute Inc, 18 octobre 1968. Disponible sur le www.williamreymond.com.
2. Cancer du sein.
3. « Acrylamide not Linked to Breast Cancer in Women : Study », http://www.foodnavigator.com/Product-Categories/Cultures-enzymes-yeast/Acrylamide-not-linked-to-breast-cancer-in-women-Study.
4. « Acrylamide in Food May Increase Risks of Breast Cancer, New Findings Suggest. », http://www.sciencedaily.com/releases/2008/01/080111231742.htm.

savoir, de mettre le pied dans l'univers du doute concocté autrefois par les cerveaux d'Hill & Knowlton. Car, limitant sa lecture au titre, il conclura souvent que la science ne sait pas, donc qu'en attendant rien ne sert de modifier ses habitudes.

Bien sûr, il ignore que ces deux titres ont été publiés à une année d'écart et concernent *deux* études différentes. La première, qui remonte à la fin 2007, a été financée par l'Union européenne. C'est celle qui, avec la prudence d'usage, conclut que l'acrylamide pourrait augmenter les risques du cancer du sein. La seconde, plus rassurante, est aussi la plus récente puisqu'elle date du mois de février 2009.

Cette prime à la nouveauté signifie-t-elle, comme le suggère son titre, que l'acrylamide n'accroît pas les risques de cancer de sein, conclusion logique qu'un lecteur pressé est en mesure de tirer ?

En fait, la vérité s'avère plus complexe. Car, malgré des titres semblant résonner en écho l'un à l'autre, les deux études ne couvrent pas le même champ.

La première a étudié l'effet de l'acrylamide sur des femmes ménopausées, à un moment de la vie où les cancers sont plus fréquents. La seconde, elle, a étudié le rôle de l'acrylamide chez des femmes plus jeunes, en pré-ménopause, donc lorsque les cancers sont plus rares.

Loin de moi l'idée de jeter le discrédit sur l'une ou l'autre étude, mon but est seulement de démontrer les rouages d'un mode de communication.

Cela veut-il dire que nous sommes ici devant un texte mis en avant par les défenseurs de la toxic food ? Que l'écho donné à la seconde étude, via le titre de l'article, cherche à contester la première ?

Pour tout dire, je n'en sais rien. Mais, lecteur avisé, je ne peux m'empêcher de noter une série de coïncidences... troublantes.

D'abord, le texte rassurant pour l'industrie de la chips a été publié sur www.foodnavigator.com, un site qui appartient à la société Decision News Media basée à Montpellier, en France. Cette compagnie excelle dans ce que les spécialistes du net nomment le *B-to-B* [1], le Business to Business, soit « l'ensemble des activités d'une entreprise visant une clientèle d'entreprises [2] ». Une activité qui, dans le cas de l'entreprise française, se déploie uniquement en ligne.

Première coïncidence donc : le lecteur pense être sur un site d'actualité alors que celui-ci est d'un genre particulier puisque visant « les décisionnaires occupés [3] » dans différents secteurs.

Des activités qui, deuxième hasard, sont celles qui, ces dernières années, se sont fréquemment retrouvées au cœur de la tourmente. Ainsi, parmi « les décisionnaires occupés » visés par Decision News Media, apparaissent les secteurs des cosmétiques, de la pharmacie, de la nutrition et de l'agroalimentaire. À ce titre, en plus de foodnaviga-

---

1. Ainsi le site spécialisé Marketingsherpa.com consacra, le 19 janvier 2006, un article au succès de Decision News Media sur le marché du B-to-B : « How a B-to-B Online Publisher Became One of the Top 100 Fastest Growing European Companies », http://www.marketingsherpa.com/barrier.html?ident=24134#.

2. Http://fr.wikipedia.org/wiki/Business_to_business.

3. Http://www.decisionnewsmedia.com/About/us/novispage-1.htm.

tor.com, la compagnie montpelliéraine opère sur Bakeryandsnacks.com (boulangerie et pâtisserie industrielle), dairyreporter.com (produits laitiers), beveragedaily.com (les boissons) ou encore meat-process.com (les produits de la viande). Une multiplication de sites couplée à une vraie maîtrise de l'outil Internet qui permet, bien souvent, aux articles du groupe de se retrouver parmi les premiers liens fournis par les moteurs de recherche.

Bien entendu, le fait que Decision News Media ne soit pas un véritable média, mais une entreprise vendant un service à des clients précis ne signifie en rien que ses sites soient le porte-parole de l'industrie.

Dernière coïncidence, quelques heures passées à lire les archives du site permettent de découvrir que les conclusions de nombreux articles diffusent souvent la parole des représentants de l'industrie [1], et que la plupart des éditoriaux proposés prennent fréquemment la défense des industriels de la nourriture quand ils n'en chantent pas carrément les louanges [2].

*

Quoi qu'il en soit, force est de constater que la stratégie de confusion mise en place autour de la toxicité de l'acrylamide fonctionne à merveille. Ainsi, alors que les travaux de Margareta Törnqvist

1. Http://www.foodnavigator.com/Financial-Industry/Too-soon-to-see-toolbox-effect-on-acrylamide-in-snacks-FSA.

2. Http://www.foodnavigator-usa.com/Financial-Industry/Acrylamide-The-consumer-health-scare-that-isn-t et http://www.ap-foodtechnology.com/Industry-drivers/Death-to-the-industry-conspiracy-theories.

remontent à 2002, les risques liés à la cuisson par friture, et plus particulièrement celle de la pomme de terre, sont généralement ignorés du grand public.

Aux États-Unis, premier pays consommateur de chips au monde, les études sur l'acrylamide sont même quasiment inconnues. Un sondage, effectué en août 2009, confirmait ainsi que les « consommateurs américains n'avaient quasiment aucune connaissance des problèmes de l'acrylamide [1] ».

En revanche, une fois avertis des dangers cancérigènes de cette substance, la moitié des interrogés annonçait une volonté de « s'informer sur la question ».

Le lecteur avisé que je suis leur souhaite bien du courage.

1. Http://www.newsrx.com/press-releases/8967.html.

31

Boucle

Avant d'aborder le second axe de la stratégie du doute mise en avant par les titans de la nouvelle malbouffe, il convient de s'arrêter sur un aspect encore plus sournois de la première étape de confusion.

Nous l'avons vu, avant l'opinion publique, ce sont les médecins et les scientifiques que ciblent les cerveaux de la communication d'entreprise. Puis, arrivent les médias.

Or, lorsqu'on touche à un sujet aussi inflammable que l'alimentation, ils se déchaînent.

Dans le cas précis de l'acrylamide, Margareta Törnqvist remarqua que lorsqu'elle avait prouvé combien la substance avait été toxique pour les ouvriers du tunnel ferroviaire, personne n'avait bronché ni trouvé quoi que ce soit à en redire. Mais quand elle alla plus loin et accusa le processus de cuisson des frites et des chips, une véritable tempête médiatique s'éleva. Avec torrent d'articles et émissions remettant en question ses travaux et même son intégrité, voir sa probité [1].

1. Http://jnci.oxfordjournals.org/cgi/content/full/95/12/842.

*

Dans l'article publié en juin 2003 par le *Journal of National Cancer Institute,* la scientifique expliqua, par exemple, que, bien souvent, les recherches favorables à l'acrylamide étaient entreprises sur des quantités consommées inférieures à celles ingérées par un être humain au long de son existence. Une précision essentielle rarement reprise par les médias.

Cette remarque est capitale. Pourquoi, en effet, les journalistes ne notaient-ils pas cette faille dans les travaux des adversaires ?

Je sais que certains confrères ne me le pardonneront sans doute pas, mais il faut bien avouer que, par manque de temps, de connaissances, de moyens ou peut-être simplement de curiosité, la presse se contente souvent des informations prémâchées contenues dans un communiqué sans en vérifier la totale validité. C'est ce qui, vraisemblablement, se produisit sur ce point. Mieux valait reproduire les conclusions positives savamment résumées, que plonger dans les études et dénicher cette faiblesse.

En vérité, ce côté « moutonnier » n'est pas récent. Dans son mémorandum de 1968 adressé à l'industrie du tabac, Carl Thompson, expliquant les recettes d'un communiqué de presse réussi – c'est-à-dire reproduit dans les journaux et favorables à un client –, conseillait de toujours débuter ce texte par son aspect le plus important. Le plus favorable même à la thèse défendue. Et conseillait cyniquement, en cas de reproduction de recherches scientifiques, d'ouvrir le communiqué sur l'info « la plus importante pour l'industrie du tabac même si ce n'est pas la plus essentielle aux yeux de l'auteur des travaux[1] ». En clair, cela signifiait que même si le but d'une étude n'était pas de prouver l'absence de relation entre la cigarette et le cancer du poumon, un bon communiqué se devait de réussir à le faire croire.

Et les bons communiqués de ses adversaires, dans le cas de Margareta Törnqvist, furent très bons.

*

Il est à noter aussi que, de plus en plus fréquemment, les industriels financent leurs propres recherches, y compris universitaires. Un phénomène, on le sait, qui entraîne souvent la publication de conclusions favorables aux intérêts de ces clients.

Mais, entre les études indépendantes et celles entièrement réglées par des entreprises, il existe une autre forme d'enquête bien plus dangereuse car mêlant noms prestigieux, organismes publics et intérêts privés. Un cocktail détonant dont la victime principale est la presse et celle, collatérale, le consommateur. Exemple appliqué[2].

*

Créé il y a plus de cinquante ans, le Centre de recherche pour l'étude et l'observation des conditions de vie (CRÉDOC), directement placé sous la

1. « Memorandum to William Kloepfer Jr », The Tobacco Institute Inc, 18 octobre 1968. Disponible sur le www.williamreymond.com.

2. J'ai publié une partie des informations suivantes en avril 2008 sur le site d'informations www.bakchich.info. Voir : http://www.bakchich.info/Coca-Cola-serait-il-bon-pour-la,03433.html.

tutelle du ministre chargé de la Consommation et du Commerce, étudie depuis 1978 les modes de vie de la société française.

Grâce à une constante subvention de l'État, le CRÉDOC a ainsi publié plus de trois mille enquêtes qui, à en croire le vocable de sa propre présentation, constituent une « garantie de professionnalisme, [...] d'impartialité et d'indépendance de ses conclusions ».

Dernier exemple en date, le jeudi 19 mars, avec la « Présentation pour la première fois des résultats de l'enquête CRÉDOC sur le comportement et la consommation de boissons en France ».

Tenue dans le cadre du MEDEC, le congrès annuel de la médecine générale, la conférence de presse liée à cette étude, tenue devant un parterre de médecins et de journalistes spécialisés, a suscité un nombre important de reprises dans l'ensemble des médias francophones.

Qui, comme un seul homme, ont colporté les conclusions du rapport et informé l'opinion que « les Français ne s'hydratent pas assez sous quelque forme que ce soit ».

Une carence, put-on lire dans *Le Point*, aux effets tragiques : « Une mauvaise hydratation entraîne une baisse des performances physiques et intellectuelles, des maux de tête et des problèmes tels que des infections urinaires, des calculs rénaux ou de l'hypertension artérielle [1]. »

L'étude du CRÉDOC allait plus loin en suggérant des conseils de consommation. Ce qu'un

1. In *Les Français ne boivent pas assez d'eau,* 21/03/2008, http://www.lepoint.fr/actualites-societe/2008-03-20/les-francais-ne-boivent-pas-assez-d-eau/920/0/231185.

article de *Destination Santé*, repris en page d'accueil de Yahoo Actualités, résuma par « Buvez, buvez de l'eau... mais pas seulement[1]. »

Le site Internet n'avait pourtant pas improvisé ce titre-là. Car il reprenait en fait un point développé lors de la conférence de presse par le docteur France Bellisle, directrice de recherche à l'Institut national de la recherche agronomique (INRA) et spécialiste de la nutrition : « Variez vos boissons, il est plus facile d'atteindre la norme recommandée[2]. »

Si, parmi les produits cités par France Bellisle, figuraient les boissons lactées et chaudes telles que le thé ou le café, le plus étonnant fut de voir apparaître la recommandation de consommer des... sodas.

Je n'ai pas assisté à la conférence de presse du docteur Bellisle, mais j'imagine que ce point a été énoncé avec suffisamment de clarté pour accrocher l'attention des médias. Du reste, un article publié par *France Soir* le lendemain de la présentation du CRÉDOC affirma que « contrairement à ce que l'on pourrait penser, les boissons rafraîchissantes sans alcool, en particulier les sodas, contribuent peu aux apports caloriques » et ajoute que « toujours selon l'étude, il n'y aurait pas de corrélation entre ces boissons et la prise de poids. Encore un résultat qui en fera déculpabiliser plus d'un[3]. »

Déculpabiliser ou bondir...

---

1. Http://www.destinationsante.com/Buvez-buvez-de-l-eau-mais-pas-seulement.html.
2. *Idem.*
3. In « Les Français ne boivent pas assez », *France Soir*, 21/03/2008, http://www.francesoir.fr/societe/2008/03/21/credoc-les-francais-ne-boivent-pas-assez.html.

Ainsi, pour résumer des conclusions présentées sous l'égide d'un organisme public alors que la crise d'obésité devient chaque jour un problème majeur de santé publique, des nutritionnistes recommandaient la consommation de sodas, conseillaient « aux parents de ne pas diaboliser le sucre » et disaient « réservons les boissons avec édulcorants aux enfants qui ont de vrais problèmes de poids [1] ». Des conseils que de nombreux médias avaient reproduits sans réserve.

Voilà qui, selon moi, méritait une sérieuse explication de texte.

*

Le premier indice troublant – et de taille – figure dans le coupon-réponse de l'invitation à assister à la présentation de l'enquête du CRÉDOC [2]. On y découvre en effet que la conférence de presse du CRÉDOC est en réalité un événement organisé conjointement par l'organisme public, le MEDEC et... Coca-Cola France.

Oui, Coca-Cola.

Mieux, ce sont les coordonnées de Florence Paris, directrice de la communication corporate de la branche française du géant d'Atlanta, qui apparaissent sous la mention « contact presse ». Ainsi, un journaliste désireux de recevoir par courrier ou e-mail le dossier de presse intitulé « Que boivent les

1. Http://www.destinationsante.com/Buvez-buvez-de-l-eau-mais-pas-seulement.html.

2. Http://www.categorynet.com/v2/communiques-de-presse/gastronomie/invitation-medec-2008-:-conference-de-presse-AB-que-boivent-les-francais-?-BB-2008031462827/).

Français ? » doit-il en faire la demande auprès des services de communication de Coca-Cola France.

Dès lors, tout cela devient un peu plus clair.

La présence du fabriquant de sodas aux manettes de cette opération ressemblant de plus en plus à un coup de com' me permit enfin de comprendre pourquoi, en plus des effrayants – et accrocheurs – détours par les questions du genre « Les Français boivent-ils suffisamment ? », « Pourquoi l'hydratation est-elle importante pour la santé ? », la conférence du CRÉDOC se proposait aussi d'ouvrir un chapitre sur « Les boissons rafraîchissantes sans alcool : en pratique, hydratation et plaisir » !

Ceci dit, une fois encore tout cela pouvait être le fruit d'une coïncidence. Aussi, afin d'en avoir le cœur net, le 8 avril 2008, je contactai Florence Paris.

Disons-le d'emblée, alors qu'elle connaissait sans aucun doute mon enquête sur les coulisses de sa Compagnie, Florence Paris a courtoisement et rapidement répondu à mes questions. Une qualité à saluer quand on sait que, *a contrario*, le département consommation du CRÉDOC s'est muré dans le mutisme.

Dans sa réponse survenue deux jours après ma demande, Florence Paris écrivit clairement que « Coca-Cola France, en 2007, [avait] demandé au CRÉDOC les résultats spécifiques sur la consommation de boissons et en [avait] financé l'exploitation comme couramment pratiqué par le CRÉDOC[1] ».

En quelques mots, la directrice de la communication corporate de Coca-Cola France me confirmait

1. Courrier électronique de Florence Paris à l'auteur, 10 avril 2008.

donc non seulement l'implication de la Compagnie dans l'événement présenté au MEDEC mais surtout l'existence, en France, d'une pratique que je pensais cantonnée aux États-Unis.

En somme, peut-être sans s'en rendre compte, en présentant sous ses labels et caution des informations « sponsorisées » par un industriel devant une assistance constituée principalement de médecins et journalistes, le CRÉDOC avait favorisé le mélange des genres et, *in fine,* trompé le consommateur.

*

Il faut s'interroger aussi sur le sens donné par Coca-Cola France au terme « financement ». À en croire la représentante du groupe, la Compagnie s'est bornée à acheter une partie des résultats d'une enquête scientifique du CRÉDOC.

En réalité, comme me l'a indiqué France Bellisle, caution scientifique de la présentation : « La société Coca-Cola n'a pas participé à l'acquisition ni au traitement des données. Cependant, elle a ajouté des questions et suggéré d'étudier des aspects spécifiques de la prise de boisson, par exemple la consommation de boissons sucrées à différents âges de la vie [1]. »

Du simple financement de l'exploitation de l'enquête du CRÉDOC, nous venions donc de passer à l'ajout de questions et à la suggestion d'aspects spécifiques.

Mieux, Coca-Cola s'investit aussi beaucoup dans la préparation de la conférence publique. France

1. Courrier électronique de France Bellisle à l'auteur, 7 avril 2008.

Bellisle, remarquant en prologue à ses réponses que mes « questions portaient spécifiquement sur les conflits d'intérêt [1] » qu'elle aurait pu avoir, m'expliqua en effet avoir « travaillé ensemble avec Coca pour préparer la conférence. Plusieurs réunions de préparation ont été nécessaires. Il a fallu s'entendre sur la présentation des données et préparer des diapos susceptibles d'être comprises. Ce travail n'est pas différent qu'il y ait ou non contribution d'un partenaire industriel [2]. »

De toute évidence, le rôle joué par le géant de la boisson à bulles dépasse largement celui du simple financement. Et impose de répondre à une autre interrogation : en suggérant des questions, en orientant l'étude vers certains aspects scientifiques, la compagnie Coca-Cola s'assurait-elle que le produit fini – l'enquête du CRÉDOC – servirait ses objectifs commerciaux ?

*

Pour tout dire, si la présence de Coca-Cola France aux côtés de médecins et d'un organisme financé par des fonds publics peut étonner, elle est conforme à la stratégie mondiale adoptée par le géant américain.

Ainsi, et cela vous a peut-être échappé, depuis bientôt cinq ans Coca-Cola n'est plus un fabricant de boisson saturée en sucre – et donc responsable de la pandémie d'obésité – mais un spécialiste de l'hydratation !

1. *Idem.*
2. *Idem.*

Un positionnement martelé dans chaque discours interne[1], sur l'emballage de ses produits vendus aux États-Unis, et même sur Internet où, désormais, la marque propose de « découvrir plus de 80 moyens de s'hydrater[2] », dont la majorité consiste à consommer des produits de sa vaste gamme.

Ce nouveau positionnement répond à deux tendances. D'abord l'appétit du consommateur envers des produits considérés « bons pour la santé » et, surtout, la volonté de la marque de ne pas être montrée du doigt quand on évoque la crise mondiale d'obésité.

La défense de l'hydratation relève donc du vertueux cache-sexe.

Une excuse d'autant plus spécieuse que, comme le rappellent les chercheurs de l'université de Clemson, en plus de son absence de valeur nutritionnelle et de sa teneur en sucre, un soda contient souvent de la caféine. Qui n'est autre qu'un diurétique entraînant, via l'urine, une perte de fluides et donc la... déshydratation[3] !

*

Que Coca-Cola souhaite que les Français boivent plus et pas uniquement de l'eau est dans l'ordre des choses.

---

1. Voir par exemple celui-ci datant de 2005 : http://www.thecoca-colacompany.com/presscenter/viewpoints_environmental_csis.html.

2. Et tout cela sur un site entièrement dévoué à la cause de l'hydratation : hydration.thecoca-colacompany.com

3. Http://hgic.clemson.edu/factsheets/hgic4151.htm.

Que le CRÉDOC serve de tremplin à ce genre de message semble plus étonnant, même si l'organisme n'a jamais caché travailler « contractuellement pour des entreprises privées ».

Mais le plus gênant réside dans le fait que des scientifiques renommés servent de caution au message publicitaire d'une multinationale.

*

Prenons le cas de France Bellisle, qui est, comme je l'ai déjà précisé, directrice de recherche à l'INRA et nutritionniste reconnue mondialement. Son rôle dans la présentation de « l'enquête » du CRÉDOC ayant été largement évoqué plus haut, il ne s'agit pas de remettre en cause ici ses qualités professionnelles, mais de constater qu'elle ne semble pas effrayée par la présence grandissante de l'industrie agroalimentaire dans les coulisses de la médecine et de la recherche.

Mieux, révélant un point qui n'a jamais été mis en avant lors de la conférence de presse au MEDEC – et donc jamais reproduit dans la presse –, la scientifique m'a confié n'avoir pas été engagée sur ce projet par le CRÉDOC mais par... Coca-Cola. « Mon travail de recherche porte le plus souvent sur la prise alimentaire humaine, écrivit-elle. C'est à ce titre que Coca-Cola, qui souhaitait avoir de l'information sur les consommations de boissons, a fait appel à moi, en complément de l'équipe d'experts du CRÉDOC [1]. »

---

1. Courrier électronique de France Bellisle à l'auteur, 7 avril 2008.

Un point confirmé par Coca-Cola France : « Nous avons demandé au docteur France Bellisle, compte tenu de son expertise dans le comportement alimentaire, de participer à la réflexion et à l'interprétation des données CRÉDOC en collaboration avec les experts du CRÉDOC qui avaient mené l'étude [1]. »

*

Soit. Mais les relations nouées par France Bellisle avec le milieu industriel ne s'arrêtent pas là. Ainsi, en plus de ses activités à l'INRA, ce médecin est la présidente du Comité de communication de l'Institut français (IFN), « interface entre les milieux scientifiques et ceux de la production agroalimentaire », créé en 1974 par deux professeurs « et plusieurs industriels [2] ».

Une activité non rémunérée qui donne tout loisir d'échanger avec les géants de la toxic food.

Ainsi le comité présidé par France Bellisle accueille huit scientifiques mais également des représentants de Nestlé, Danone, Kellogg's et... Coca-Cola [3].

L'IFN n'est pas la seule association fréquentée par la directrice de recherche à l'INRA. On la retrouve par exemple au sein du Conseil européen de l'information sur l'alimentation (EUFIC), une « organisation à but non lucratif qui fournit aux médias, aux professionnels de la santé et de la

1. Courrier électronique de Florence Paris à l'auteur, 10 avril 2008.
2. Http://www.ifn.asso.fr/present/cadre.htm.
3. Http://www.ifn.asso.fr/present/org/communic.htm.

nutrition, aux enseignants et aux leaders d'opinion, des informations sur la sécurité sanitaire et la qualité des aliments ainsi que sur la santé et la nutrition s'appuyant sur des recherches scientifiques en veillant à ce que ces informations puissent être comprises par les consommateurs [1] ».

En clair ? Un groupe qui reformate les informations scientifiques pour les rendre accessibles au plus grand nombre.

Là, France Bellisle siège au Conseil consultatif scientifique avec d'autres grands noms européens de la recherche.

Tout cela pourrait être acceptable si, parmi les articles du site de l'EUFIC, ne se glissaient pas certaines perles comme « le chewing-gum contrôle l'appétit » ou « le grignotage, une tendance forte pouvant jouer un rôle bénéfique pour votre santé ». Des articles donnant une sérieuse indication sur la manière dont l'organisme veille « à ce que ces informations puissent être comprises par les consommateurs ».

En fait, pour comprendre la motivation de l'EUFIC, il faut regarder du côté de ses soutiens financiers.

Une liste que l'on dirait sortie de l'édition annuelle du classement Forbes des plus grandes entreprises qui comptent. Ainsi, le groupe est « cofinancé par la Commission européenne et l'industrie européenne des aliments et des boissons. L'EUFIC est dirigé par un conseil d'administration dont les membres sont élus par des sociétés membres. L'EUFIC compte actuellement les membres suivants : Barilla, Cargill, Coca-Cola HBC,

1. Http://www.eufic.org/page/fr/page/ONEUFIC/.

Coca-Cola, DSM Nutritional Products Europe Ltd., Ferrero, Groupe Danone, Kraft Foods, Masterfoods, McCormick Foods, McDonald's, Nestlé, Novozymes, PepsiCo, Pfizer Animal Health, Procter & Gamble, Südzucker, Unilever et Yakult [1]. »

On comprend mieux pourquoi, dans la déclaration de transparence signée par l'ensemble de ses membres, l'EUFIC tient à préciser : « L'EUFIC n'agit pas en tant que porte-parole de l'industrie et ne souhaite pas être perçu comme tel. »

*

L'EUFIC, l'IFN... On retrouve souvent France Bellisle là où les géants de l'agroalimentaire se trouvent.

Une proximité épinglée, aux États-Unis, par l'association de consommateurs CSPI dans le cadre du programme « Integrity in Science », intégrité et science.

Il y a un an, le groupe révélait qu'une synthèse bibliographique cosignée par France Bellisle et publiée par *The American Journal of Clinical Nutrition (AJCN)* avait « négligé de révéler les liens financiers unissant les deux auteurs et l'industrie de la boisson [2] ».

Le CSIP expliquait par exemple que France Bellisle siégeait au sein de l'*advisory board* de McDonald's [3].

Si l'AJCN avait oublié de préciser les relations de la chercheuse avec le roi du fast-food – et pour le

1. *Idem.*
2. Http://cspinet.org/integrity/watch/200703121.html.
3. Http://cspinet.org/integrity/watch/200703121.html.

coup, l'un des plus gros vendeurs mondiaux de boissons du groupe Coca-Cola –, le journal scientifique recelait une autre information intéressante. Listant les sources de financement des travaux coréalisés par Bellisle, l'ACJN nota la présence de *The American Beverage Association*, groupe spécialisé dans le lobby dont les membres principaux sont... Pepsi-Cola et Coca-Cola [1]. Il va sans dire que les recherches en question dédouanaient de toute responsabilité les boissons sucrées dans l'augmentation des cas d'obésité ! Une étude qui, selon le CSIP, allait en sens contraire à la majorité des publications et recherches sur le sujet.

Bouclant la boucle, c'est bien cette chercheuse émérite que l'on retrouve derrière les lignes de *France Soir* – « contrairement à ce que l'on pourrait penser, les boissons rafraîchissantes sans alcool, en particulier les sodas, contribuent peu aux apports caloriques, et, toujours selon l'étude, il n'y aurait pas de corrélation entre ces boissons et la prise de poids » – et les « conseils » d'hydratation mis en avant devant un parterre de médecins et sous l'égide du CRÉDOC lors de la conférence du 20 mars 2008 à Paris.

*

Une fois encore, il ne s'agit pas ici de pointer spécifiquement le comportement d'un scientifique ou d'une compagnie mais d'illustrer un système de contrôle de l'opinion. Dont les barons de la toxic food sont, aujourd'hui, les premiers bénéficiaires.

---

1. Http://www.cspinet.org/integrity/watch/200703121.html.

L'ironie de l'histoire est que, pendant que la presse française reprenait comme un seul homme les conclusions sponsorisées par Coca-Cola, le *New York Times* levait, lui, un énorme lièvre illustrant l'infiltration des industriels dans le monde de la recherche. Et, par là, confirmait le succès des méthodes inventées par John Hill.

Le quotidien revenait sur un article publié en octobre 2006 dans le *New England Journal of Medecine.* Où le docteur Claudia Henschke, une sommité, affirmait que 80 % des décès liés au cancer des poumons étaient évitables par un recours plus large aux scanners. Après des années de mise en accusation, les industriels du tabac pouvaient donc esquisser un sourire. Sauf que, derrière les conclusions de la scientifique, le *Times* découvrit dans les sponsors de l'article la présence de la *Foundation for Lung Cancer : Early Detection, Prevention & Treatment.*

Une association dont les 3,6 millions de dollars de budget ont, ces trois dernières années, été entièrement financés par un fabricant de... cigarettes.

Là encore, la boucle était bouclée.

32

Détruire

Le choix des termes utilisés pour élaborer le titre d'un article, la hiérarchie de l'information mise en avant dans le corps d'un papier, la volonté de transformer voire travestir ce que peut comprendre le public, les relations de plus en plus ambiguës entre l'industrie et certains représentants de la science contribuent évidemment à accentuer la confusion qui règne dans l'opinion. Une confusion qui sert grandement les géants de la toxic food.

Dès lors, puisque les préceptes édictés pour les cigarettiers au début des années 1950 continuent de fonctionner, pourquoi les pourvoyeurs de la nouvelle malbouffe ne les appliqueraient-ils pas à tous les niveaux ?

*

La confusion est le terreau fertile sur lequel germent les graines de la destruction.

Mais cette étape de la « désinformation » doit survenir seulement lorsque l'opinion est désorientée. De fait, vous n'entendrez jamais les tenants de la nourriture industrielle railler ceux qui évoquent la possibilité du risque d'une substance comme l'acrylamide si le travail de sape n'a pas été entamé. Cela ne prendrait pas parce que, dans l'inconscient populaire, cette offensive placerait automatiquement l'industriel dans le camp de l'agresseur, du « méchant ».

C'est pour cette raison que, dans son mémorandum, Carl Thompson insiste – en lettres capitales ! – sur la nécessité de « toujours reproduire scrupuleusement » les conclusions non favorables. Non par souci de la vérité mais parce que cela donne à l'article revu par les experts ès communication une aura de vérité. Laquelle rassurera le lecteur et permettra plus facilement de venir planter les germes de la confusion.

En revanche, une fois le consommateur perdu entre diverses informations contradictoires, viendra le temps de porter l'estocade finale.

*

Détruire les arguments scientifiques dénonçant certains aliments ou substances issus de l'industrie passe par différentes techniques. Il y a, par exemple, la moquerie, très efficace. Une astuce largement utilisée pour contrer les découvertes du professeur Sydney Mirvish sur l'effet cancérigène des nitrites retrouvés dans les saucisses de hot-dog.

Dans ses travaux, le chercheur avait ainsi apparemment eu le tort de détailler l'action d'une substance cancérigène sur l'ADN. Comme je l'ai expliqué plus haut en, citant T. Colin Campbell, lorsqu'elle entre dans l'organisme, elle déclenche une mutation qui « cause une altération permanente des gènes de la cellule, ce qui endommage l'ADN[1] ».

Cette description, hachée menue, remoulinée par la machine à tuer de l'industrie de la charcuterie devient, sur le ton de la gaudriole, une sorte de plagiat de science-fiction. Et on ne parle plus des nitrosamines – donc de la poursuite de leur utilisation malgré les risques – mais de cet étrange professeur qui fait n'importe quoi en inventant des saucisses mutantes. Amusé par un titre efficace[2], le consommateur ne prend pas l'info au sérieux, passe son chemin et, sans le savoir, continue à ingérer un carcinogène.

*

La peur est une autre méthode fiable.

L'un des chevaux de bataille enfourchés par les défenseurs de la nouvelle malbouffe, c'est la mise en cause de la liberté de choix individuelle. Un refrain très efficace aux États-Unis et, nous l'avons vu, largement utilisé pour contrecarrer les timides tentatives de lutte de l'administration Obama contre la pandémie d'obésité.

La même tactique – mensongère – menace chaque consommateur d'une augmentation de ses taxes et impôts si on avance l'idée d'une réforme et, plus généralement, présente toute mesure un peu coercitive – pour les industriels – comme un

1. In *Le Rapport Campbell*, *op. cit.*
2. Le titre d'un article publié par *Libération* en dit long : « La mutation du mangeur de hot-dogs ». In *Libération*, 16 août 2006.

contrôle quasi orwellien des assiettes par un État devenant omniprésent. La décision prise, il y a quelques années, par le maire de New York d'interdire les acides gras-trans dans les restaurants de la ville a ainsi été accueillie par de multiples levées de bouclier de ce genre.

Je me souviens plus particulièrement, tandis que je préparais un reportage sur le sujet pour l'émission *Envoyé spécial*, d'une conversation avec un porte-parole de la restauration. La corporation, virulente dans son opposition à cette loi d'exclusion, prédisait l'apocalypse commerciale, la disparition même de tous les établissements new-yorkais. Une prédiction, soit dit en passant, dont j'attends toujours qu'elle se réalise !

Mais n'est pas Nostradamus qui veut. Et l'essentiel est évidemment ailleurs. Car le lobbyiste, dressant le catalogue des répercussions affreuses que l'interdiction d'huile partiellement hydrogénée allait entraîner, osa prétendre – des trémolos dans la voix – qu'il s'inquiétait surtout pour les pensionnaires d'une maison de retraite locale. Et de prétendre que ces personnes âgées, abandonnées de tous, n'avaient plus qu'un plaisir dans la vie : le gâteau du goûter. Une pâtisserie qui, concoctée avec de la margarine hydrogénée, allait être supprimée de leur menu. Et, selon lui, absolument pas remplacée par un équivalent sain !

Bien entendu, quand je lui ai demandé l'adresse de l'établissement, il ne put se souvenir précisément du nom de cet hospice quasi pénitentiaire.

Mais, dit-il, cela ne changeait rien à l'horreur de la situation : à cause d'une décision unilatérale de « la police de la nourriture », des vieillards allaient souffrir. Et demain, concluait-il, ce serait au tour des cantines et écoles.

L'expression « police de la nourriture » ne doit bien sûr rien au hasard. Depuis longtemps, les experts en communication appointés par l'industrie ont compris que la sémantique constituait une arme redoutable. Que le combat pour gagner les esprits se remportait d'abord sur le terrain des mots [1]. Quitte à prendre des accents totalitaires lorsque, pour dénoncer les défenseurs d'une alimentation libérée de ses toxines, les gardiens de la nouvelle malbouffe parlent de Gestapo de l'assiette [2].

Ce contrôle du langage s'illustre aussi dans le détournement de sens de certains mots. Ainsi, dans les années 1950, John Hill avait insisté sur l'impérieuse nécessité de s'approprier le concept de « science ». Et, plus précisément, de transformer ce terme en outil de démarcation aidant à trier le bon grain – le sien ! – de l'ivraie. Aussi poussa-t-il les fabricants de cigarettes à parler de la « vraie science [3] », un concept soi-disant fondé sur le bon sens et la logique alors que ce néologisme rassem-

---

1. Cette remarque concerne aussi la communication politique. George W.Bush, conseillé par Karl Rove, a, durant ses huit années de pouvoir, excellé dans l'art du mot juste. C'est donc sans surprise que, depuis cinq ans, les politiques européens tentent d'appliquer les mêmes recettes. Voir, du même auteur, *Bush Land*.

2. Pour ma part, suite à la sortie de *Toxic* au Québec, j'ai été traité de « mollah de l'anti-obésité » et de « mollah de l'anti-malbouffe » par José Breton, candidat indépendant aux élections provinciales du 26 mars 2007. Son programme – qui n'a pas séduit les électeurs – se résumait dans deux slogans : « L'État n'a pas d'affaire dans l'assiette des gens » et « La malbouffe, c'est bon pour la santé ». Http://www.vif.com/users/ronde/intro.html.

3. En Anglais, *sound science*, la science qui a du sens.

blait surtout les conclusions scientifiques favorables à ses clients. Mieux, Hill était persuadé que ce distinguo affaiblirait les retombées des recherches mettant en cause le tabac. Car qui dit « vraie science » sous-entend que l'adversaire use de la « fausse ». Eh bien, l'industrie de la nouvelle malbouffe s'est approprié ce concept.

Ainsi, lorsqu'une étude – qu'elle a parfois financée – vient instiller le doute quant à la responsabilité, dans un type de maladie, d'un des composants qu'elle utilise, elle s'empresse de présenter la chose comme le fruit d'une science rigoureuse en laquelle le consommateur peut croire. Par opposition, et sans même avoir besoin de le clamer, les études contradictoires se retrouvent propulsées dans les zones obscures où on rejette le farfelu et l'anxiogène.

*

Depuis quelques années, les champions ès communication pro-industrie alimentaire tentent de s'approprier un autre mot : « naturel ».

Le terme est parfait. En période de doute alimentaire, il rassure le consommateur. Or, aux États-Unis, grâce à un lobbying de plusieurs années, il n'est soumis à aucun cadre législatif. Alors que le mot « organic », équivalent anglais du « bio », est autorisé après certification et contrôles réguliers, n'importe quel produit peut se voir paré du terme « naturel ».

Les géants de la toxic food se sont intéressés à ce vocable au milieu des années 1980, époque où le sirop de fructose-glucose remplaçait le sucre dans les sodas avant ensuite d'envahir le reste de la chaîne alimentaire. L'idée, toujours défendue aujourd'hui, était de faire croire au consommateur qu'il s'agissait d'un produit naturel, puisqu'obtenu en pressant du maïs. En réalité, comme je l'ai déjà expliqué dans *Toxic,* le sirop de fructose-glucose est une création chimique.

Le débat autour du taux d'acrylamide dans les frites a été une nouvelle occasion, pour l'industrie, de jouer avec la « flexibilité » du mot « naturel ». Ainsi, il est sans cesse rappelé que la formation d'acrylamide est un phénomène naturel qui se produit à haute température. En soi, la précision est exacte. Mais l'idée ici est d'installer un distinguo dans l'esprit du consommateur. En martelant que le processus est naturel, non seulement on offre aux acrylamides un masque de normalité mais en plus on les éloigne du rejet que ne manquerait pas de susciter dans l'opinion le fait que c'est un nouveau produit chimique. Dès lors, le message sous-jacent tend à faire croire que, formées naturellement, les acrylamides sont moins dangereuses que ce que certains prétendent.

Cette logique a été poussée à l'extrême aux États-Unis.

L'une des rares fois où le sujet a été évoqué à la télévision, un représentant de l'industrie prit soin de marteler le mot « naturel » et même de lui ajouter une nouvelle dimension. Alors que le débat tournait trop autour de la teneur en acrylamide des frites vendues en fast-food – bain d'huile très chaud et pommes de terre riches en sucre –, il a habilement détourné l'attention en parlant de son taux dans les... épinards [1]. Évoquer ce légume, c'était insister

1. Hank Cardello, *Stuffed*, HarperCollins, 2009.

sur le caractère « naturel » de la formation des substances cancérigènes, déstabiliser et railler son adversaire qui demandait un contrôle des bains d'huile de la restauration, et libérer l'industrie de toute responsabilité.

Et, au final, oser faire croire à chacun – chapeau ! – que l'être humain mange autant d'épinards frits que de chips !

Ne manquez pas de le vérifier lors d'un prochain apéritif.

33

Volontaire

Nous ne cesserons jamais de nous nourrir.

La crainte de l'industrie agroalimentaire ne réside donc pas dans la défaillance en masse de sa clientèle.

Mieux : je suis persuadé, comme nombre d'experts de la question, que l'industrie a les moyens de fournir au consommateur des produits plus sains que ceux vendus aujourd'hui. Et que, si cela lui permettait de préserver les mêmes marges de profit, elle n'hésiterait pas à le faire.

Mais dans le secteur de la nouvelle malbouffe, l'argent reste bien sûr le nerf de la guerre. Et nulle part ailleurs, la transformation d'un produit de base, acheté à bas prix, ne rapporte autant. Sans même parler des sodas, dont l'ingrédient principal est l'eau, qui offrent des marges dépassant les 90 %. D'où la crainte majeure des géants de la toxic food : voir un gouvernement légiférer. La loi et ses contraintes, du paiement d'une lourde amende à l'interdiction pure et simple d'un ingrédient, représentent même les pires cauchemars des titans du mal manger.

*

À nouveau, l'exemple des acides gras-trans aux États-Unis représente un cas d'école.

La bataille pour imposer l'interdiction de l'huile partiellement hydrogénée à New York a été âpre, nous l'avons vu. Or, tandis que ce désir de prendre des mesures restrictives s'étend au reste du pays, chaque État se transforme en champ de bataille. Ainsi, au Texas où je réside, un projet de loi a été rejeté par la majorité républicaine. Coïncidence : juste après que l'industrie agroalimentaire ait apporté des soutiens financiers à ces élus.

Les gardiens du *statu quo* alimentaire ont joué aussi avec la peur. Cette fois, il ne s'agissait pas de faire pleurer sur le sort de retraités privés de gâteau mais de brandir, en période de crise, la menace de perte d'emplois. À les en croire, la suppression unilatérale des acides gras-trans aurait entraîné un tel surcoût que les restaurants industriels auraient été contraints de pratiquer des licenciements. Même si l'exemple new-yorkais a prouvé l'hérésie de cet argument, il a fonctionné au Texas. Et continuera à agir ailleurs, tant que la classe politique n'aura pas le courage de dénoncer ces mensonges.

*

La peur de toute loi conduit au troisième commandement de John Hill : calmer.

Une fois le public perdu à cause de la profusion d'informations contradictoires et les adversaires à terre, vient la période où il importe de donner le change.

Je l'ai écrit, tout est question de perception.

Ainsi, les erreurs commises par l'industrie du tabac ont-elles permis aux lobbyistes d'apprendre et d'en tirer des leçons. Si, dans un premier temps, les cigarettiers ont ignoré la pression exercée sur les élus par des citoyens inquiets, ils ont vite compris que, à la longue, cela risquait de porter ses fruits. Donc qu'il valait mieux anticiper et agir.

Dès lors, afin d'éviter une interdiction ou une contrainte, il convenait de donner l'illusion que l'industrie n'était pas à l'origine du problème mais, au contraire, un rouage essentiel pour apporter une solution. Résultat, durant des décennies, tout en vendant des produits responsables de multiples cancers, les cigarettiers se sont cachés derrière un épais écran... de fumée.

D'abord, suivant les conseils de John Hill, fut créé le Tobacco and Heath Research, superbe bijou de sémantique qui marie le terme « santé » au mot « tabac », destiné à mettre en avant toute information suscitant le doute quant à la responsabilité de la cigarette sur les cancers du poumon.

Puis, après la généralisation du filtre, censé diminuer les risques, les années 1970 ont vu apparaître la chimère d'une cigarette sans danger. Des recherches vaines puisque toutes les études prouvaient qu'il n'était pas possible de créer une cigarette exempte d'effets nocifs. Mais l'essentiel consistait à occuper le terrain et à communiquer.

Aujourd'hui, dans la même optique, les grandes marques investissent dans la... prévention. Ainsi, tous les sites Internet des groupes de l'industrie du tabac se proposent d'aider le consommateur... à arrêter de fumer [1]. Belle hypocrisie, non ?

---

1. Http://www2.pmusa.com/en/quitassist/index.asp?src=home et http://www.rjrt.com/health.aspx.

*

Au début des années 1990, alors que de Seattle à Millau, le rejet de la malbouffe prenait de l'envergure, les fabricants de toxic food ont donc mis en pratique les méthodes inventées par l'industrie du tabac. Un pare-feu d'autant plus nécessaire que la contestation altermondialiste était renforcée par la publication des chiffres effarants de la pandémie d'obésité.

Montrées du doigt, des compagnies comme Coca-Cola ou McDonald's ont donc commencé à parler... d'autre chose.

N'est-ce pas ce que reconnaît ici Éric Gravier, vice-président de la filiale française du géant du fast-food, lorsqu'il dit : « José Bové et la crise de la vache folle nous ont bousculés. On s'est mis à communiquer sur notre entreprise, sur la nutrition, sur l'environnement [1]. »

Selon cette logique, McDonald's a, dans de nombreuses campagnes publicitaires, mis en valeur son offre de salades et de fruits alors que, dans le même temps, l'entreprise, via Jean-Pierre Petit, son P-DG, reconnaissait qu'en France « ils ne représentent que 15 à 20 % de nos ventes car l'essentiel se fait toujours sur des produits classiques [2] ».

Pourquoi placer ses produits au cœur de la com' de McDonald's. Parce que, comme Jean-Pierre Petit l'admet avec franchise – ou une naïveté étonnante, « ils sont très importants en terme d'image [3] ».

---

1. Http://www.republicain-lorrain.fr/fr/permalien/article.html?iurweb=1921705.
2. Aux États-Unis, ils n'excèdent pas les 5 % : http://www.nordeclair.fr/France-Monde/France/2009/09/05/le-mcdo-a-30-ans.shtml.
3. *Idem.*

En termes d'image... Voilà qui a le mérite d'une certaine sincérité.

Car il s'agit exactement de cela. Quand elle publie son bilan carbone ou s'allie à l'équipe de France de football, la marque poursuit le même objectif : tenter de faire oublier sa part de responsabilité dans la pandémie d'obésité.

*

Le débat sur l'acrylamide l'illustre. Ayant perçu le danger de l'inaction, craignant que le mot « cancérigène » soit définitivement associé aux frites et chips, redoutant l'adoption de législations contraignantes, les industries de la toxic food ont investi le terrain.

Ainsi, dès 2002, la Confédération des industries agro-alimentaires de l'UE (CIAA) – la voix de l'industrie européenne de la boisson et de l'alimentation, d'après sa propre présentation [1] – s'est impliquée dans les discussions sur le sujet menées par les organismes européens concernés.

La CIAA existe depuis 1982. Sa mission, écrit-elle sur son site, est « de représenter les intérêts des industries de l'alimentation et des boissons près des institutions européennes et internationales [2] », lesquelles sont, comme le rappelle la Confédération, le « premier secteur industriel d'Europe, un employeur majeur et un exportateur [3] ». En clair, un groupe de pression dont la priorité affichée est d'« augmenter la confiance du consommateur dans

1. Http://www.ciaa.be/asp/documents/l1.asp ?doc_id=822.
2. Http://www.ciaa.be/asp/about_ciaa/l1.asp ?doc_id=766.
3. *Idem*.

les produits des industries de l'alimentation et des boissons [1] ».

Dès 2002 donc, la CIAA encourage une série de tests complémentaires à ceux de Margareta Törnqvist et affirme la volonté de l'industrie de prendre le problème en main. L'année suivante, la CIAA crée le Technical Acrylamide Expert Group, dont la mission est de « partager les initiatives de recherches et diffuser les connaissances d'une manière rapide et efficace [2] ». Enfin, suite à la décision de l'OMS de considérer l'acrylamide comme une molécule réprotoxique et cancérigène, donc présentant un risque pour la santé humaine [3], la CIAA lance, en octobre 2006, The Acrymalide Toolbox [4], une base de données à destination des PME contenant des outils pour réduire – ou tenter de le faire – les taux d'acrylamide d'une partie de la nourriture industrielle. Laquelle *toolbox* est le résultat d'une collaboration « ouverte et transparente entre les autorités publiques au niveau national et européen, des scientifiques et l'industrie [5] ».

En clair, la Commission européenne a décidé de faire confiance à l'industrie agroalimentaire pour qu'elle « prenne des mesures volontaires » aidant à diminuer « le taux d'acrylamide dans ses produits [6] ».

1. Http://www.ciaa.be/asp/about_ciaa/l1.asp?doc_id=766.
2. Http://www.ciaa.be/asp/documents/l1.asp?doc_id=822.
3. Http://www.who.int/ipcs/food/jecfa/summaries/en/summary_report_64_final.pdf.
4. Littéralement la boîte à outils de l'acrylamide.
5. Dr. Richard Stadler, dirigeant du Process Contaminants Group au sein de la CIAA : http://www.ciaa.be/asp/documents/l1.asp ?doc_id=822.
6. « Results on the Monitoring of Acrylamide Levels in Food », *EFSA scientific report*, 30 April 2009, http://www.efsa.europa.eu/EFSA/Report/datex_report_acrylamide_en,0.pdf?ssbinary=true.

Et cela marche. À en croire le docteur Richard Stadler, scientifique responsable du projet au sein de la CIAA :

« Cette façon unique de travailler ensemble a produit des résultats tangibles comme [la publication] des Acrylamide Pamphlets and l'Acrylamide Toolbox, qui assure que la nourriture que nous consommons est sûre [1]. »

La publication de notices techniques en vingt langues et des outils pratiques basés sur les dernières découvertes en la matière afin d'assurer la sécurité alimentaire peut apparaître un peu courte face à un produit considéré comme cancérigène. Mais les résultats seraient au rendez-vous. Ainsi, depuis le 3 mai 2007, l'EFSA surveille chaque année le taux d'acrylamide dans les aliments [2]. Et le dernier résumé du rapport de surveillance affirme qu'« il semblerait y avoir une tendance vers la baisse [3] ».

Mission accomplie donc ?

Peut-être.

Ou peut-être pas.

Car voilà, le même document l'EFSA remarque que « cette tendance n'est pas uniforme dans l'ensemble des groupes alimentaires et, de fait, il n'est pas encore clair [que] l'Acrylamide Toolbox [ait] les effets désirés [4] ».

---

1. Http://www.ciaa.be/asp/documents/l1.asp ?doc_id=822.
2. Une procédure semblable, nous l'avons vu, vient d'être mise en place au Canada.
3. « Results on The Monitoring of Acrylamide Levels in Food, Question number, » EFSA-Q-2008-343. http://www.efsa.europa.eu/EFSA/efsa_locale-1178620753812_1211902585656.htm
4. *Idem.*

Décidément, rien n'est simple. D'un côté, le représentant de l'industrie agroalimentaire affirme que, grâce à l'outil mis en place, notre nourriture est sûre ; de l'autre, l'EFSA ne semble pas aussi convaincu. Qui croire ? Pour en avoir le cœur net, la seule solution est d'avaler l'intégralité de ce rapport de surveillance des aliments.

*

Avant même de me lancer dans la passionnante lecture de *Results on the Monitoring of Acrylamide Levels in Food, EFSA Scientific Report,* je bénéficiais d'un premier indice venant de Grande-Bretagne.

Qui n'avait pas été facile à trouver.

Le 15 juillet 2009, la Food Standards Agency (FSA), agence britannique sur la sécurité alimentaire, publiait ses conclusions annuelles sur le taux d'acrylamide détecté dans divers aliments commercialisés sur son territoire [1].

Notez que j'ai employé le mot « conclusion » et non « résultats ». Pourquoi ? Parce que, dans un langage que l'on dirait sorti d'un communiqué de presse d'un géant de la toxic food, la FSA écrit : « La présence et les niveaux de celle-ci [...] étaient sur la même ligne que ceux obtenus durant l'enquête de l'année dernière. [...] La présence et les niveaux trouvés n'augmentent pas l'inquiétude quant au risque pour la santé humaine. » Alambiqué, non ? Néanmoins, une fois de plus, tout semblait aller bien.

---

1. Http://www.food.gov.uk/news/newsarchive/2009/jul/retailfoodssurvey. En effet, en plus du travail de recherche de la Commission européenne, la FSA effectue ses propres enquêtes.

Sauf qu'un point du texte officiel me chiffonnait. Non seulement il ne communiquait *aucun* chiffre mais il se référait *sans les nommer* aux niveaux de l'année précédente. Des statistiques que, si l'on suivait la « logique » du communiqué, tout citoyen inquiet de la présence d'un carcinogène dans son alimentation devait connaître sur le bout des doigts pour lire le rapport.

La chose étant peu probable, il fallait donc repartir un an auparavant. Et découvrir que la FSA n'avait pas constaté de *baisse* du taux d'acrylamide [1] dans les aliments concernés vendus en Grande-Bretagne. Et ce alors que la *toolbox* de la CIAA existait depuis un an.

Une période trop courte pour en constater les résultats, selon les représentants de l'industrie. L'argument pouvait porter. Mais alors, comment interpréter les conclusions de l'enquête de la FSA de 2009 affirmant qu'elles étaient dans la même lignée que celles de 2008 ? Cela signifiait-il que deux années de prise en main du problème par l'industrie n'avaient pas entraîné de baisse du taux d'acrylamide dans la nourriture, constat rejoignant la remarque de l'EFSA sur l'absence d'effets désirés suite aux mesures de la CIAA ?

*

Le 15 avril 2009, l'EFSA acheva son enquête annuelle de surveillance de la présence d'acrylamide. Quelques semaines plus tard, l'intégralité de son rapport fut mise en ligne [2]. Vingt-six pages

1. Ni d'augmentation d'ailleurs.
2. Http://www.efsa.europa.eu/EFSA/Report/datex_report_acrylamide_en,0.pdf ?ssbinary=true.

condensées qui, en plus de la méthodologie et d'une belle accumulation de chiffres, regorgent d'informations étonnantes.

La première envoie directement au fameux concept du « naturel ». Plus haut, j'écrivais comment, à chaque intervention, les défenseurs de la frite rappellent que le processus de formation de l'acrylamide est un effet naturel dès qu'un aliment se voit cuit à plus de 120 °C. Une « apparition » qui se produit dans les cuisines lors de chaque friture maison.

Ce qui est vrai.

Sauf que, grâce une étude comparative glissée dans le rapport de l'EFSA, on sait désormais qu'il y a « naturel » et... naturel.

Sauf qu'il existe une différence considérable de taux d'acrylamide µg/kg entre des chips industrielles et d'autres confectionnées à domicile. Dans la première, on détecte 628 µg/kg alors que la seconde dépasse tout juste les 300 µg/kg.

Comment expliquer cet écart ?

Plus loin, l'EFSA évoque les conseils permettant de limiter la formation d'acrylamide. Qui sont, principalement, trois : éviter les bains d'huile trop chaude, les variétés de pomme de terre trop sucrées et de stocker les pommes de terre au froid.

Eh bien, il ne faut pas chercher plus loin. Sans grande friture, pas de chips croustillantes ; sans sucre, pas de goût pour accrocher les papilles du consommateur ; sans chaîne du froid, du gaspillage et donc des frais supplémentaires.

Cette précision apportée, revenons à la question principale pour déterminer si, depuis la mise en place de mesures volontaires par l'industrie agroalimentaire, il existe une « tendance à la baisse ».

Pour étayer cette conclusion, l'EFSA prend l'exemple de chips dont le taux, d'une année à l'autre, a effectivement décru... mais de peu. Il est ainsi passé de 678 µg/kg à 628 µg/kg. Et encore s'agit-il d'une moyenne puisque les chips anglaises dépassent les 1 200 µg/kg quand les italiennes atteignent seulement 200 µg/kg [1]. Rien de vraiment significatif donc.

Y a-t-il d'autres produits à la baisse ? Le café est passé d'une moyenne de 410 µg/kg à 253 µg/kg. Hélas, il ne faut pas trop vite s'enthousiasmer. Le rapport précise en effet qu'il n'existe pas encore de méthode pour diminuer le taux d'acrylamide de cet ingrédient et que la variation statistique provient probablement d'une erreur effectuée lors des tests précédents.

Mais alors, constate-t-on quelque part une *vraie* baisse ? Oui, celle du pain. Qui tombe, en moyenne, à 136 µg/kg alors qu'il était à 274 µg/kg.

Et puis... et puis c'est à peu près tout.

Pire, les autres produits sont en... augmentation, malgré les mesures prises par l'industrie.

Ainsi, les biscuits qui se trouvaient en moyenne à 243 µg/kg sont aujourd'hui à 317 µg/kg. Idem pour les céréales du petit déjeuner, passées de 116 µg/kg à 156 µg/kg.

Un constat identique pour les frites, dont le taux moyen a fait un bon de 284 µg/kg à 350 µg/kg. Un résultat fort décevant, remarque le rapport de l'EFSA, car « plusieurs fois au-dessus de ce qui semble atteignable en utilisant des pommes de terre à basse teneur en sucre et des températures plus

1. Malheureusement, l'EFSA n'explique pas les raisons de ces variations par pays sur un même produit.

basses pour le bain final ». En clair, sans vraiment oser l'écrire, l'auteur du rapport regrette, pour des raisons expliquées plus haut, que l'industrie de la frite, du fabricant au restaurant, ne se serve pas des outils à sa disposition. Des recettes que, pourtant, elle avait déclaré vouloir appliquer *volontairement*.

*

Résumons.

Si l'EFSE, avec certaines réserves, conclut à une orientation vers la baisse, l'information mérite des précisions.

Le rapport se sert de trois produits pour justifier cette conclusion : les chips, le café et le pain.

Si, pour ce dernier, la tendance est réelle, elle est minime pour les chips et statistiquement faussée pour le café.

Ne l'oublions pas aussi, malgré la *toolbox*, les autres aliments connaissent un taux à la hausse. Un résultat d'autant plus troublant qu'en fin de rapport l'EFSA indique que notre exposition à l'acrylamide provient, à 80-100 %, d'un groupe d'aliments composé des chips (légère baisse), des frites (hausse), du pain (baisse), du café (impossibilité technique de faire baisser le taux d'acrylamide du fait de la torréfaction) et des biscuits (hausse).

Le rapport contient en outre une ultime pépite. Dans ses premières pages, il liste les contributions pays par pays à son enquête de surveillance de taux d'acrylamide. Première chose effarante : la disparité dans la collecte des échantillons. Alors que l'Allemagne – où depuis longtemps les questions environnementales et alimentaires sont une priorité – a fourni 2 048 échantillons, l'Espagne s'est satisfaite de 25. Une disparité qui rend la réalisation d'une statistique globale bien compliquée et difficilement fiable. Comment comparer le taux d'acrylamide des chips belges à celui de la Norvège alors que ce pays a fourni 28 échantillons du produit quand Bruxelles s'en contentait de 4 ?

Enfin, un autre détail a attiré mon attention dans cette liste de 22 pays.

Ou devrais-je plutôt dire une absence ?

Impossible d'y trouver la France [1].

---

1. L'Afssa, en 2005, avait effectué « une évaluation de l'exposition de la population française à partir de produits consommés en France » et conclu qu'elle « est dans les mêmes ordres de grandeur » que l'estimation de l'OMS. L'agence précise aussi que « les aliments les plus contributeurs restent les frites et les viennoiseries, notamment chez les enfants » mais déplore qu'« en l'état actuel des connaissances, il n'est pas possible de faire des recommandations particulières de préparation ou de consommation alimentaire ». Http://www.afssa.fr/index.htm.

34

Précaution

Stratégies de communication, tactiques de défense, création de confusion dans l'esprit du public, déformation de la vérité, collusion avec le monde scientifique... Autant de méthodes habiles et efficaces pour brouiller les pistes et détourner les assauts.

Reste qu'une fois informé, un consommateur averti est en mesure de déceler les pièges tendus par les experts du marketing et les professionnels de la toxic food. Et ce parce que – cela ne fait aucun doute dans mon esprit – la connaissance constitue l'arme majeure de reconquête de nos assiettes.

Dès lors, il importe de répondre à une question essentielle concernant l'acrylamide : la consommation, via les chips, frites ou viennoiseries, de cette substance toxique est-elle dangereuse pour la santé ?

*

Cette interrogation hante Margareta Törnqvist depuis ses travaux sur les ouvriers du tunnel de Bjare. Ainsi, en 2003, résumant les connaissances relatives aux effets de l'acrylamide chez l'homme, elle notait qu'une nouvelle étude prouvait que la substance « a la capacité de créer des dommages génétiques sur les cellules de mammifères [1] ».

Une caractéristique, nous l'avons vu, qui correspond à la première phase du cancer, celle de l'initiation. Ou, pour reprendre l'image du « gazon » chère au professeur Campbell, celle de l'ensemencement.

La communauté scientifique est d'accord sur ce premier point. En revanche, elle continue à se diviser sur l'ampleur du phénomène. Ainsi, certains considèrent peu élevées ses capacités à entraîner une mutation génétique endommageant l'ADN et déclenchant la maladie.

Sur ce point, Törnqvist répond que nous sommes face à une situation particulière dépassant le cadre d'expériences en laboratoire. Ainsi, la scientifique souligne un aspect du problème selon elle complètement sous-estimé. Et de rappeler que la « consommation fréquente d'une nourriture où la concentration d'acrylamide est élevée crée un important fardeau toxique pour la population ». Traduction : pour l'instant, personne ne s'intéresse à l'accumulation de la substance toxique dans l'organisme. Or si elle est faiblement toxique au cours d'un repas, qu'en est-il après une décennie ou plus de consommation régulière d'aliments riches en acrylamide ?

---

1. Frederik Granath et Margareta Törnqvist, « Who Knows Whether Acrylamide in Food Is Hazardous to Humans ? », *Journal of The National Cancer Institute*, Oxford University Press, 18/06/2003.

*

Les travaux de la scientifique suédoise ont débuté voilà plus de neuf ans. En 2002, elle a établi avec certitude, et sans que personne ne puisse le remettre en cause, que non seulement l'acrylamide se formait dans les aliments riches en glucides chauffés au-delà de 120 °C mais que la substance était aussi en mesure de susciter des cancers chez le rat... avec lequel nous partageons l'essentiel de notre ADN.

Mais il a fallu encore attendre trois ans avant que l'OMS affirme le caractère cancérigène de la substance et mette en garde contre ses éventuels risques pour la santé. Un an plus tard, en 2006, la CIAA obtenait de la Commission européenne le droit de mettre en place des mesures volontaires destinées à contenir le taux dans les produits issus de l'industrie alimentaire.

Et, trois ans plus tard, comme je viens de le démontrer, l'EFSA n'est toujours pas en mesure d'affirmer que cette politique obtient des résultats tangibles. Pire, l'organisme européen remarque – à mots couverts – que, concernant le taux d'acrylamide dans les frites, l'industrie n'a pas respecté le cadre de son engagement. Et continue à ne pas appliquer les règles de prévention permettant de limiter le risque toxique.

*

L'affaire de l'acrylamide rappelle par certains points celle des acides gras-trans. Rappelons-le : les problèmes suscités par l'huile partiellement hydrogénée ont été mis au jour pour la première fois en... 1956.

Confirmés en 1994, ils ont ouvert une période de recherches complémentaires puis été suivis d'opérations de recensement de sa présence dans l'alimentation avant – enfin – de voir décidées des mesures. Mesures laissées à l'appréciation de l'industrie elle-même.

Résultat ? En 2009, plus de cinquante ans après la première mise en garde, plus de quinze années après sa confirmation formelle, les acides gras-trans – dont la responsabilité dans l'« épidémie » d'accidents cardio-vasculaires et de cancers du sein est avérée – sont toujours au cœur de notre alimentation.

Mais là, osant bousculer le *statu quo*, certains organismes publics, pays ou municipalités, ont osé passer outre et décider l'interdiction.

Bien sûr, j'entends d'avance l'argument selon lequel faire de tels rapprochements néglige les hésitations des scientifiques. Soit. Mais, selon moi, l'incertitude ne doit jamais empêcher l'action.

Car avec l'acrylamide contenue dans certains aliments, le risque existe. Certes, il est aujourd'hui impossible de quantifier son taux, mais faudra-t-il patienter cinquante ans avant d'agir, au risque qu'il ne soit trop tard ?

Avant de connaître les conclusions de l'OMS évoquant un lien entre la substance et notre santé, Margareta Törnqvist estimait que, dans la plus basse des hypothèses, « considérant la très large fraction de cancers liés à notre alimentation [1] », l'acrylamide pouvait contribuer à 1 % des risques de cancer.

1. *Idem.*

Et si, poursuivait-elle, il n'était pas nécessaire de prendre des mesures particulières, c'est parce qu'elles existaient déjà ! Le tout étant de les appliquer, notamment à cette substance. Et d'insister sur la nécessité de mesurer attentivement ce que la consommation d'acrylamide implique chez « les groupes à risque tels que les femmes enceintes et les enfants [1] ».

*

À la fin des années 1970, sous la pression de l'opinion – dont il faut saluer la précocité sur ce point –, les pouvoirs publics allemands ont adopté le *Vorsorgeprinzip.* Un principe de précaution les autorisant « à prendre toutes les "mesures nécessaires et raisonnables" afin de faire face à des risques éventuels, même sans disposer des connaissances scientifiques nécessaires pour en établir l'existence [2] ».

En France, ce même principe est affirmé dans l'article L. 110-1 du Code de l'environnement, qui prévoit que les politiques de l'environnement s'inspirent du principe de précaution, « selon lequel l'absence de certitude, compte tenu des connaissances scientifiques et techniques du moment, ne doit pas retarder l'adoption de mesures effectives et proportionnées visant à prévenir un risque de dommages graves et irréversibles à l'environnement à un coût économique acceptable [3] ».

---

1. *Idem.*
2. *Principes du Code de l'environnement,* ministère de l'Écologie, de l'Énergie, du Développement durable et de la Mer, http://www.ecologie.gouv.fr/IMG/pdf/Le principe pre caution.pdf.
3. *Idem.*

Depuis, la jurisprudence a étendu le principe de précaution à un autre « domaine que l'environnement, celui de santé [1] ».

Si, aujourd'hui, il n'existe pas de définition unique du principe de précaution, celle adoptée en janvier 1998 durant la conférence de Wingspread par un panel de scientifiques et de juristes internationaux fait référence [2]. Le texte proclame que « lorsqu'une activité crée une menace sur la santé humaine ou sur l'environnement, des mesures de précaution doivent être prises même si certaines causes et effets ne sont pas entièrement prouvés de manière scientifique [3] ».

La présence établie et la toxicité prouvée de l'acrylamide alimentaire correspondent à la définition de ce principe de précaution.

À ce titre, nos pouvoirs publics nationaux ou européens *doivent* contraindre l'industrie agroalimentaire à recourir aux méthodes existantes pour baisser le taux d'acrylamide de certains aliments.

Une fois encore, il est intolérable de penser que, presque dix ans après les travaux de Margareta Törnqvist et deux ans après la publication [4] « d'instructions simples à suivre [5] », le taux d'acrylamide des frites continue à augmenter.

---

1. « Il a ainsi été utilisé pour suspendre une autorisation de mise en culture de maïs OGM ou a justifié que le ministre en charge de l'Agriculture se voit enjoint de réexaminer son refus de retirer du marché l'insecticide "Gaucho" pour avoir insuffisamment analysé les risques qu'il présentait pour les abeilles », *Principes du code de l'environnement, op. cit.*

2. Http://www.gdrc.org/u-gov/precaution-3.html.

3. *Idem.*

4. RJ Foot (*et al.*), « Acrylamide in Fried and Roasted Potato Products : a Review on Progress in Mitigation », *Food Additives & Contaminants*, 2007.

5. « Results on The Monitoring of Acrylamide Levels in Food », EFSA, *op. cit.*

Nous l'avons vu sur la question des acides gras-trans à New York : lorsque les mesures volontaires échouent, seul le poids de la loi fonctionne.

Dans un même temps, toujours selon le principe de précaution et plus particulièrement pour protéger les populations à risque comme les femmes enceintes et les enfants, nos pouvoirs publics *doivent*, efficacement, mettre en garde l'opinion contre les risques liés à une consommation importante de produits riches en acrylamide. Une mesure qui allierait campagne d'informations et mise en garde visible sur les étiquettes des produits.

Enfin, et puisque le processus de formation d'acrylamide est naturel, nos gouvernements *doivent* communiquer et informer des risques courus dans les cuisines en plus de ceux rencontrés à cause de la consommation de certains produits industriels.

Que dira-t-on si dans cinq, dix ou vingt ans, la science livre la preuve irréfutable que l'acrylamide alimentaire est une source de cancer chez l'homme et que rien n'ait été fait ?

35

Promotion

Les pesticides, les acides gras-trans, l'acrylamide et de nombreuses autres substances chimiques présentes dans les colorants, les additifs et les conservateurs contenus dans la nouvelle malbouffe jouent donc un rôle essentiel dans la phase d'« insémination » du cancer.

Rappelons-le : ce n'est pas l'hérédité génétique qui constitue la première source de la maladie mais notre mode de vie. Où la toxic food tient une place essentielle.

*

Cette phase d'initiation n'est pourtant pas la plus importante. Notamment parce qu'elle est celle sur laquelle nous avons le moins de maîtrise. Bien sûr, reprendre le contrôle de nos assiettes ne peut qu'être bénéfique pour éviter de courir certains risques mais, comme l'écrit le professeur Campbell : « Toute la phase d'initiation peut s'effectuer en un laps de temps très court, même en quelques minutes. C'est le temps qu'il faut pour que la substance carcinogène soit ingérée, absorbée dans le sang, transportée vers les cellules, changée en substance active, mêlée à l'ADN et transmise aux cellules filles. Lorsque de nouvelles cellules filles se forment, le processus est complet : les cellules filles et leurs descendantes seront à jamais génétiquement endommagées et susceptibles de permettre au cancer de se développer [1]. »

Et c'est précisément parce que ce processus est quasi irréversible que, nous, consommateurs, et, eux, gouvernements, devons contenir les risques d'exposition.

*

Avant d'évoquer la seconde période d'évolution du cancer et d'en saisir l'importance, il convient de dire quelques mots de la troisième et dernière étape, phase la plus visible de la maladie. Et, souvent aussi, la plus dramatique.

Une fois encore, le résumé proposé par le professeur Campbell vaut mieux qu'un long discours : « La progression s'enclenche lorsqu'un groupe de cellules cancéreuses avancées augmente jusqu'au point où elles causent un dommage irréparable. Si on reprend l'analogie avec le gazon, c'est quand le gazon a tout envahi [2]. »

Dans ce cas, selon sa nature, le cancer sera malin et envahira les tissus voisins ou, pire, métastasé lorsqu'il se répandra ailleurs dans l'organisme.

1. *Le Rapport Campbell, op. cit.*
2. *Idem.*

Quant à « la phase terminale, elle se traduit par la mort [1] ».

Pourquoi ce détour ?

Parce qu'il correspond à l'une des motivations m'ayant poussé à écrire ce livre.

Je l'ai dit, mon but est de démontrer que les effets de la toxic food dépassent la pandémie d'obésité. Or cruellement, tragiquement même, les cancers sont l'illustration de cette vérité. De fait, évoquer le processus final de la maladie permet d'insister sur l'importance d'une alimentation saine afin d'éviter cette dernière phase. Comprendre qu'au terme d'une vie sous le signe de la nouvelle malbouffe nous attend une mort prématurée vécue dans des conditions difficiles sera peut-être en mesure de convaincre les moins motivés.

Enfin, la description si définitive d'un cancer en phase terminale éclaire d'une lumière crue et nouvelle l'importance des choix nutritionnels adoptés en phase de promotion. Et pour mieux s'en convaincre, il faut revenir à l'analogie avec le gazon.

Si la première étape correspond au moment où la « mauvaise » graine est plantée en terre, la phase de « promotion » est celle de la germination et de la pousse. En poursuivant cette logique, pour percer et s'étendre la semence a besoin d'une série d'événements favorables. Une combinaison d'eau, de soleil et de nutriments puisés dans la terre. Les cellules prédisposées au cancer vont agir de la même manière. Si les conditions sont rassemblées, elles vont « se multiplier jusqu'à ce qu'elles deviennent un cancer détectable à l'œil [2] ». Bien entendu,

1. *Idem.*
2. *Idem.*

contrairement à la phase d'initiation parfois assez soudaine, cette étape-là peut durer des années.

Une graine de gazon a besoin d'eau, de soleil et nutriments ; quels sont donc les éléments jouant le même rôle dans la phase de promotion des cancers ?

Dans une minorité des cas, comme on l'a vu, il s'agit d'un processus d'ordre génétique. Pour les autres, la responsabilité revient à notre mode de vie. Et donc, prioritairement, à la qualité de l'alimentation.

Et là, après avoir fait office de « contaminant » durant la première phase, la toxic food joue un rôle essentiel dans le développement des cancers.

*

Une fois encore, comment ne pas se laisser gagner par un sentiment d'impuissance teinté de profond agacement ?

De multiples études attestent que certains des ingrédients de l'alimentation industrielle sont l'engrais dont les cellules prédisposées au cancer ont besoin pour croître. Or on sait aussi que 80 % de notre alimentation provient de ce qui est la source du mal...

Depuis le début des années 1980, alors que la nouvelle malbouffe étendait son emprise sur nos tables, de nombreux scientifiques se sont mis à étudier le rôle du régime alimentaire dans le développement des cancers.

Le professeur Campbell et son équipe notamment. Travaillant sur des rats de laboratoire contaminés par la cancérigène Aflatoxine B-1 [1], ce

1. Http://fr.wikipedia.org/wiki/Aflatoxine.

groupe de chercheurs a pu démontrer que les cancers du foie de ces rongeurs évoluaient différemment selon la nourriture qu'ils recevaient. Et que plus l'alimentation de ces cobayes était riche en protéines de source animale, plus la maladie évoluait rapidement vers la troisième phase [1].

En 1985, toujours sous le contrôle de Campbell, les chercheurs O'Connor et Roebuck ont prouvé aussi que les lésions cancéreuses étaient plus importantes dans l'organisme des rats nourris avec une alimentation contenant 20 % d'huile de maïs [2].

Les protéines animales, l'huile, le gras semblaient donc un moteur essentiel de développement du cancer.

Ceci dit, comme le remarquait Campbell luimême, ces découvertes pouvaient être discutées parce qu'elles se limitaient à l'expérimentation animale. Même si la structure ADN du rat est très proche de la nôtre, voilà qui laissait une place au doute. Une brèche qui, Campbell le savait, servirait aux géants de la toxic food pour entamer un travail de sape.

Et puis, une aide vint d'où le professeur ne l'attendait pas.

*

1. B.-S. Appleton, T.-C. Campbell, « Inhibition of Aflatoxin-Initiated Preneoplastic Liver Lesions by Low Dietary Protein », *Nutrition and Cancer*, 1982, http://www.ncbi.nlm.nih.gov/pubmed/6128727.

2. T.-P O'Connor, B.-D. Roebuc, T.-C Campbell, « Dietary Intervention during the Postdosing Phase of L-azaserine-induced Preneoplastic Lesions », *Journal of National Cancer Institute*, novembre 1985, http://www.ncbi.nlm.nih.gov/pubmed/3863991.

En 1980, le département de biochimie nutritionnelle que Campbell dirige à l'université Cornell d'Ithaca accueillit, dans le cadre d'un échange international, le professeur Junshi Chen, un Chinois.

Ce scientifique, alors que les travaux de Campbell se limitaient aux rats de laboratoire, proposa, via l'Académie chinoise de médecine préventive, à l'université Cornell et à celle d'Oxford de participer à la plus gigantesque étude d'épidémiologie jamais entreprise. Objectif : étudier sur une vingtaine d'années le taux de mortalité de douze types de cancer sur les populations de 65 comtés ruraux de Chine puis les comparer aux données américaines. Une première tranche de résultats, publiée en 1991, mérite, selon le *New York Times*, un « Grand Prix de l'épidémiologie ». L'équipe sino-américaine a prouvé combien l'apparition et le développement de certains cancers dépendaient principalement de nos choix alimentaires [1].

Ainsi, *nos* cancers modernes – prostate, sein, testicules ou côlon – apparaissaient très rarement comme causes de décès en Chine rurale, zones où la nourriture industrielle n'était pas apparue et dont la nourriture de base se composait de céréales *complètes* – et non raffinées comme chez nous –, de légumes, de fruits, voire, parfois, de viande maigre et de poisson. En revanche, dans les régions où le

---

1. T. Colin Campbell, Chen Junshi, Thierry Brun, Banoo Parpia, Qu Yinsheng, Chen Chumming, Catherine Geissler, « China : from Disease of Poverty to Diseases of Affluence. Policiy Implications of the Epidemiological Transition », novembre 1991, http://www.mcspotlight.org/media/reports/campbell_china2.html.

modèle occidental commençait à s'imposer, les chercheurs avaient trouvé trace de *nos* maux.

Une évolution confirmée par la deuxième partie du *China Project*, aux conclusions rendues publiques le 28 juin 2001 [1]. Sinistre corollaire de son émancipation capitaliste, la Chine constata qu'elle avait adopté aussi nos cancers. Désormais, dans les grandes villes, les cancers modernes avaient remplacé ceux constatés en Chine rurale. L'étude démontrait que cette évolution était liée à un changement nutritionnel majeur. Abandonnant son alimentation traditionnelle, le Chinois optait en effet pour la toxic food, ses produits trop gras, salés, sucrés et chimiques !

*

Un autre aspect des travaux entrepris sur les répercussions de l'alimentation ne peut être occulté.

La nouvelle malbouffe, nous venons de le voir, prépare le terrain au développement des cellules cancéreuses. Or ce phénomène – évitable avec une alimentation saine – ne concerne pas seulement les *nouveaux* cancers.

Les études menées par Campbell et son équipe ont en effet démontré que « le corps se souvient : si l'exposition un carcinogène a initié un cancer demeuré latent, ce cancer peut encore revenir plus tard si on ne se nourrit pas bien [2] ».

Je tiens à citer ces propos parce que maintes personnes rencontrées et interrogées m'ont raconté la

---

1. Http://www.news.cornell.edu/Chronicle/01/6.28.01/China_Study_II.html.

2. *Le Rapport Campbell, op. cit.*

même chose. D'abord, des réapparitions de lésions crues éradiquées. Puis, le regret – la colère aussi – de n'avoir quasiment jamais vu les traitements accompagnés de conseils nutritionnels et d'une remise en question de leur mode alimentaire. Dès lors, sans le savoir, en persistant à se nourrir essentiellement de produits industriels, ces anciens malades avaient avalé les « graines » à l'origine de leur mal.

Bien que n'ayant aucunement la prétention d'être médecin ou nutritionniste, j'espère que la lecture de ces lignes incitera d'anciens cancéreux à entamer une véritable réflexion sur le contenu de leur assiette.

*

Avant d'achever cette plongée dans l'univers de la toxic food et de tenter de comprendre la raison intrinsèque des effets dévastateurs de cette nouvelle malbouffe sur l'organisme, il fallait aussi évoquer un autre fléau.

36

Hideux

Nous étions en fait loin de la surface.

Aussi, pour découvrir la véritable nature du péril, fallait-il aller au-delà de la seule pandémie d'obésité, les kilos en trop devenant en somme seulement le symptôme visible d'un empoisonnement collectif.

Car, dans les profondeurs de l'océan de notre ignorance, là où l'opacité ne laisse plus passer la lumière, se terre le vrai visage de la toxic food.

Particulièrement hideux.

*

La nourriture industrielle crée donc des maladies. Une cohorte morbide dans laquelle défilent le diabète et ses amputations, les cancers et leurs drames, mais aussi la première cause de décès de nos sociétés modernes : les accidents cardio-vasculaires.

Le lien établi entre une alimentation trop grasse, sucrée et salée et les affections de l'appareil circulatoire n'est pas nouveau. Mais, année après année, la réalité des chiffres effraie.

Au Québec, « les maladies cardiovasculaires ont été la cause de 15 948 décès en 2003, soit 29,1 % de tous les décès [1] ». Quant à la prévalence de ces affections, elle touche 6,4 % de l'ensemble de la population de cette province âgée de vingt-cinq ans et plus.

En France, le pourcentage est légèrement plus élevé. Avec 182 000 victimes annuelles, les maladies cardio-vasculaires y représentent 32 % des causes de décès.

Un bilan humain terrible, source de multiples souffrances personnelles et familiales. Une hécatombe qui coûte aussi fort cher.

Ainsi, en France, « les coûts directs des maladies cardiovasculaires ont été estimés à 6,5 milliards d'euros par an [2] ». Un chiffre en hausse constante et au fardeau de plus en plus difficile à assumer par la collectivité. Il faut savoir, par exemple, que les affections cardiaques représentent « 10 % environ des séjours hospitaliers et [...] constituent environ 30 % des affections de longue durée prises en charge par la Caisse nationale d'assurance-maladie des travailleurs salariés [3] ».

La tendance est similaire au Québec. Un rapport estime ainsi que les maladies cardio-vasculaires sont « l'une des raisons principales d'engorgement

1. Jean-Marc Daigle, *Les Maladies du cœur et les maladies vasculaires cérébrales – Prévalence, morbidité et mortalité au Québec*, Institut national de Santé publique du Québec, 2006, http://www.inspq.qc.ca/pdf/publications/590-MaladiesCœurs VasculairesCerebrales.pdf.

2. « Programme de lutte contre les maladies cardio-vascu laires », www.sante.gouv.fr/htm/actu/planca.rtf.

3. Http://www.doctissimo.fr/html/sante/mag_2001/mag04 13/dossier/sa_2144_maladies_cardio_deces.htm.

des urgences. Elles demeurent la catégorie de maladie la plus coûteuse sur le système de santé [1]. » Ce genre d'affection représente même quasiment un quart des hospitalisations d'une durée moyenne de séjour supérieure à neuf jours.

Bien entendu, je n'oublie pas que, derrière ce constat économique, se trouvent surtout des drames humains. Mais cet aspect de la maladie renvoie directement aux premières pages de ce livre et aux difficultés rencontrées par Barack Obama pour créer un système de remboursement des frais médicaux destiné à l'ensemble des Américains.

La France fait donc mieux que la plupart des pays industrialisés, dont les États-Unis. Mais, de Montréal à Paris en passant par New York, la moralité de l'histoire reste la même : la conquête de nos assiettes par la nouvelle malbouffe entraîne un coût financier faramineux que nous payons tous.

Malades ou pas.

*

Je ne vais pas établir ici la liste des études prouvant la responsabilité – largement confirmée – de la nourriture industrielle dans les maladies cardiovasculaires qui, même si elle n'est pas l'unique facteur de risque, est largement démontrée.

Toutefois, une étude récente prouvant que le spectre de risques balaie l'ensemble de la toxic food nécessite qu'on s'y arrête.

En février 2009, Karen Teff, chercheuse en biologie et génétique au Monell Chemical Senses Center

1. *Les Maladies du cœur et les maladies vasculaires cérébrales – Prévalence, morbidité et mortalité au Québec, op. cit.*

de Philadelphie, publia les conclusions de ses nouveaux travaux sur la consommation de sirop de fructose [1].

Si, durant ses expériences, elle avait utilisé le produit pur, l'idée lui vint de déterminer les effets du sirop de fructose-glucose.

Le High Fructose Corn Syrup (HFCS), fabriqué industriellement à partir du maïs, est, comme je l'ai très précisément expliqué dans *Toxic*, l'un des facteurs de la récente explosion des cas d'obésité. Or ce produit, après avoir colonisé les estomacs nord-américains, s'impose progressivement mais sûrement à l'Europe.

Karen Teff ne souhaitait pas mesurer l'impact du sirop de fructose dans la prise de poids mais son effet sur les triglycérides. Depuis 2000, et une série de recherches effectuées par John Bantle à l'université du Minnesota, nous savons en effet que le HFCS augmente le taux de lipides dans le sang et, de fait, contribue aux facteurs de risques cardiovasculaires [2]. Poursuivant justement dans cette voie, Teff a prouvé que la consommation, durant un repas, d'un soda sucré au sirop de fructose augmentait considérablement le taux de triglycérides dans le sang. Jusqu'à trois fois plus que la consommation de la même boisson sucrée mais sans fructose.

Ce pic ne signifie qu'une chose.

En plus de leur rôle dans l'ostéoporose en empêchant le calcium de se fixer sur les os, en plus de

1. Karen L. Teff (*et al.*), « Endocrine and Metabolic Effects of Consuming Fructose and Glucose Sweetened Beverages with Meals in Obese Men and Women : Influence of Insulin Resistance on Plasma Triglyceride Responses », *Journal of Clinical Endocrinology & Metabolism*, février 2009.

2. Voir *Toxic*, *op. cit.*

leur rôle dans la crise d'obésité par contournement du réflexe naturel de satiété, les boissons sucrées au sirop de fructose sont bien, désormais, un facteur de risque de maladies cardiaques.

À votre santé !

37

Dégénérescence

La nouvelle malbouffe s'est imposée sur nos tables.

Avec un prix à payer indécent.

Depuis le milieu des années 1980, la marche en avant de la toxic food a été irrésistible. Si bien qu'aujourd'hui 80 % de notre alimentation est d'origine industrielle. Des produits qui, peu à peu, transforment nos nations en armées d'obèses.

Mais les effets de la nouvelle malbouffe ne s'arrêtent pas là.

Le diabète entraîne la cécité et des risques d'amputations.

Certains cancers augmentent dans des proportions épidémiques et, avec eux, véhiculent leur lot de drames humains.

Quant aux maladies cardio-vasculaires, en plus de leur prédominance dans les causes de décès, elles testent la solidité de nos systèmes d'assurances santé.

Est-ce tout ?

Même pas.

Car, désormais, nous le savons, la toxic food détruit aussi nos cerveaux.

*

En août 2009, une équipe de chercheurs des universités de Pittsburgh et de Californie publia les résultats d'une étude consacrée aux effets de l'obésité sur le cerveau [1].

Les recherches, menées sous l'autorité de Cyrus Raji et April Ho, recoururent pour la première fois à l'imagerie médicale haute définition, nouvelle technologie permettant aux scientifiques d'obtenir des images en 3-D des cerveaux du panel.

La clarté et les détails de ces images sont capitaux.

Les clichés établissent en effet de manière certaine le rapport entre l'obésité et « une dégénérescence sévère du cerveau [2] ». Le rapport précise que « les cerveaux des sujets obèses avaient un aspect plus vieux de seize années que ceux des patients en poids de forme. Et les cerveaux de ceux en surpoids avaient une apparence plus vieille de huit années en comparaison des sujets en forme [3]. »

Ces chiffres donnent le tournis.

---

1. Cyrus A. Raji , J. Ho April, N. Parikshak, James T. Becker, Oscar L. Lopez, Lewis H. Kuller, Xue Hua, Alex D. Leow, Arthur W. Toga, Paul M. Thompson, « Brain Structure and Obesity », *Human Brain Mapping*, 6/08/2009.

2. « Obesity Bad for the Brain », http://www.upmc.com/MediaRelations/NewsReleases/2009/Pages/Obesity-Bad-for-Brain.aspx.

3. *Idem.*

Les scientifiques américains venaient ni plus ni moins de prouver que nos choix alimentaires altéraient nos cerveaux. Où, comme le notait Cyrus Raji, qu'« en plus de l'augmentation des risques de santé comme les diabètes de type 2 et les maladies cardiaques l'obésité est mauvaise pour le cerveau [1] ».

Si cette découverte est de taille, c'est parce qu'elle offre aussi un début d'explication à l'augmentation du nombre de personnes atteintes par la maladie d'Alzheimer.

Pourquoi ? Parce que les pertes de tissus cérébraux chez les patients obèses se produisent dans les régions touchées par la maladie, et notamment celles responsables des tâches cognitives comme la mémoire et l'organisation.

Pour Cyrus Raji, il ne s'agit en rien d'une coïncidence : « L'obésité est liée à un rapetissement des zones du cerveau qui sont également visées par Alzheimer. Cette importante perte de tissus assèche les réserves cognitives augmentant les risques d'Alzheimer et d'autres maladies attaquant le cerveau [2]. »

D'autres maladies attaquant le cerveau...

Le chercheur avait raison : Alzheimer n'était pas le seul péril à viser nos neurones.

Et, à nouveau, la toxic food avait sa part de responsabilité.

*

Une fois encore, la recherche scientifique détenait les réponses à nos interrogations. Si l'étude menée

1. *Idem.*
2. *Idem.*

par Raji et Ho était capitale parce qu'elle établissait de manière formelle le lien entre obésité et dégénérescence du cerveau, celle réalisée en 2004 par Collin Pritchard permettait de mesurer l'étendue des dégâts[1]. À la tête d'un groupe de chercheurs des universités de Bournemouth et Southampon, Pritchard a étudié l'évolution du taux de décès lié aux maladies cérébrales entre la fin des années 1970 et 1990.

Ses résultats, dans une proportion rappelant l'évolution des cancers et autres maladies liés à la nouvelle malbouffe, révèlent une forte augmentation durant les dernières décennies[2].

En Angleterre, le nombre de victimes de la maladie d'Alzheimer et de Parkinson a plus que triplé en vingt ans. De près de 3 000 décès annuels à la fin des années 1970, le total a franchi la barre des 10 000 à l'aube de l'an 2000.

Une hausse qui ne laisse pas l'universitaire insensible : « Cette progression est effrayante, dit-il. Il s'agit de maladies vraiment graves. Non seulement de plus en plus de personnes en sont victimes, mais elles le sont de plus en plus tôt[3]. »

La comparaison prouve que, désormais, comme le diabète de type-2, Alzheimer et Parkinson ne sont donc plus des maladies cantonnées à la vieillesse.

---

1. Collin Pritchard (*et al*)., « Changing Patterns of Adult (45-74 years) Neurological Deaths in the Major Western World Countries 1979-1997 », *Public Health*, volume 118, issue 4, juin 2004, http://www.journals.elsevierhealth.com/periodicals/puhe/article/PIIS0033350603001896/abstract.

2. Des conclusions d'autant plus incontestables qu'elles intègrent le phénomène de vieillissement de la population et les progrès de dépistage de la maladie.

3. In « Pollutants Cause Huge Rise in Brain Diseases », *The Guardian*, 15 août 2004, http://www.guardian.co.uk/uk/2004/aug/15/health.healthandwellbeing.

Un autre point de l'étude est intéressant. Le scientifique ne s'est pas satisfait d'une comparaison des taux de décès en Grande-Bretagne. Afin de confirmer l'évolution britannique, il a effectué les mêmes calculs pour l'Australie, les États-Unis, le Japon, l'Allemagne, les Pays-Bas, l'Espagne, l'Italie, le Canada et la France.

Autant de pays et autant de résultats semblables : dans la période étudiée et dans nos sociétés occidentales, les cas d'Alzheimer ont triplé et augmenté de 90 % chez les femmes [1].

Bien entendu, un tel phénomène mérite des explications. Ce dont Pritchard ne se prive pas. Pour lui, la source environnementale du problème ne fait aucun doute. « Les causes génétiques sont à écarter car de tels changements d'ADN prendraient des centaines d'années pour reproduire cette augmentation des cas [2] », dit-il. Dès lors, le scientifique évoque la responsabilité... de la nourriture industrielle, de ses pesticides et composants chimiques.

Afin de prouver ses dires, Pritchard cite l'exemple du Japon. Non seulement l'augmentation des cas a été plus tardive dans l'Archipel – un effet lié à la résistance importante de son mode alimentaire traditionnel – mais, comme pour les cancers, le scientifique a remarqué que, sain chez lui, le Japonais développe Alzheimer et Parkinson une fois qu'il a émigré vers l'Occident.

Dans le cas de Parkinson, un des responsables de la maladie a été identifié récemment. Il s'agit du

---

1. Les cas de Parkinson ont, eux, globalement augmenté de 50 %.

2. In « Pollutants Cause Huge Rise in Brain Diseases », *op. cit.*

MPTP[1], une substance chimique synthétique neurotoxique qui provoque les symptômes permanents de cette maladie. Or on retrouve le MPTP dans la formule du Paraquat, l'un des herbicides les plus utilisés au monde, qu'il s'agisse de la culture des céréales en passant par de nombreux arbres fruitiers comme les pommiers et les bananiers, sans oublier « les plantes destinées à la fabrication de boissons (café, thé, cacao)[2] ». Un produit dont on connaît les risques potentiels puisque sa commercialisation vient d'être interdite en Europe à l'issue d'une longue procédure[3], mais dont on continue à retrouver trace dans la terre, l'eau et l'organisme.

---

1. 1-méthyle4-phényl 1,2,3,6-tétrahydro pyridine. Http://fr.wikipedia.org/wiki/MPTP.
2. Http://fr.wikipedia.org/wiki/Paraquat.
3. *Idem.* « L'Union européenne avait (à la demande notamment de la France qui l'utilisait dans les bananeraies et sur la luzerne, et du Royaume-Uni où il est fabriqué) autorisé le Paraquat en 2003 en l'inscrivant à l'annexe I de la directive 91/414/CEE par la directive 2003/112/CE. Cette autorisation de mise sur le marché a été décidé en dépit de la toxicité de la substance pour l'homme et l'environnement.

La Suède, soutenue par le Danemark, l'Autriche, et la Finlande, a alors saisi la Commission européenne. Après trois ans d'investigations complémentaires, le verdict devait être annoncé au printemps 2007. Ce n'est que le 11 juillet 2007 que le Tribunal de première instance des Communautés européennes, par l'arrêt T-229/04, a finalement annulé la directive 2003/112/CE autorisant l'usage du Paraquat dans les États membres, considérant qu'il n'avait pas suffisamment été tenu compte du lien entre le Paraquat et la maladie de Parkinson, ainsi que d'autres effets de la substance sur la santé des travailleurs et des animaux sauvages. En France, l'avis paru au *Journal officiel* du 4 août 2007 interdit la vente et l'utilisation du seul produit concerné : le R BIX (AMM n° 8700169), sans délais à la distribution, ni à l'utilisation des stocks existants. »

Il faut noter que la compagnie suisse Syngeta, qui fabrique le Paraquat pour la marque Gramoxone, continue sur

Si cette décision européenne va dans le sens des intérêts sanitaires et environnementaux, il ne faut pas oublier que le Paraquat est encore autorisé dans une centaine de pays – dont le continent nord-américain –, et que, du riz aux oranges, il est utilisé pour traiter plus de deux cents types de cultures. Dont nous importons les produits consommés tout au long de l'année.

*

Les recherches entreprises par Collin Pritchard et ses collègues sont sans doute l'explication qui manquait au docteur Elizabeth Guillette voilà quelques années.

À la fin des années 1990, cette anthropologue avait entamé l'étude de cas d'enfants exposés aux pesticides dans la région Yaqui du Mexique.

Pensant observer les symptômes classiques liés aux phénomènes d'empoisonnement, la chercheuse américaine fut surprise de constater les dégâts occasionnés sur le développement intellectuel des enfants.

Ainsi, écrit-elle, entre quatre et cinq ans, ils sont « moins habiles à attraper une balle, signe d'une mauvaise coordination œil-main. [...] Lorsqu'on

---

son site Internet à mettre en avant les qualités de ce produit (Http://www.syngenta.com/en/corporate_responsibility/syngentathinks_full.html).

Dans le même esprit, les visiteurs attentifs du www.paraquat.com – un site référencé en tête de recherche sur Google et s'affichant comme le Paraquat Information center – remarqueront qu'il appartient à Syngenta.

Sur Internet, plus qu'ailleurs, il reste capital de vérifier la source d'une information.

leur demande de se souvenir d'un ballon offert en cadeau, plusieurs n'étaient pas en mesure de le faire et encore moins se souvenaient de sa couleur [...]. Deux ans plus tard, à l'âge de six et sept ans, les enfants exposés aux pesticides continuent leur retard. Leurs dessins sont l'équivalent de ceux réalisés par des enfants de quatre ans non exposés. Leur résistance physique est faible et leur coordination pauvre. Résoudre de simples problèmes, facile pour les enfants non exposés, était très compliqué pour eux [1]. »

Si le constat d'Elizabeth Guillette est révoltant, il résonne aussi comme un signal d'alarme vu ce qu'il signifie pour nos propres enfants.

Consciente de la portée de ses découvertes, la chercheuse conclut d'ailleurs : « Le phénomène de contamination est global. À un degré différent, chaque enfant de la planète est exposé à de nombreux pesticides. Certes, les enfants que j'ai étudiés sont très exposés à quelques toxines. Probablement plus que l'enfant américain moyen. Mais les enfants américains moyens sont, eux, exposés à de nombreuses toxines. Qui peuvent s'additionner et interagir, créant des effets que nous sommes incapables de reconnaître pour l'instant. »

*

Troubles de la mémoire, difficultés physiques, intelligence déficiente, maladies d'Alzheimer et Parkinson, le nombre de dangers encourus par nos

1. In « Kids and chemicals », http://www.yesmagazine.org/issues/our-planet-our-selves/582.

cerveaux à cause des ingrédients de la nouvelle malbouffe est effrayant.

Si on y ajoute l'augmentation constante – depuis le milieu des années 1980 – des maladies du trouble du comportement chez les enfants [1], le « bilan cérébral » négatif de la toxic food s'avère donc à la hauteur de notre défaite : colossal.

---

1. Si certains cas sont liés à des facteurs génétiques, le rôle joué par les additifs alimentaires se précise grandement. Ainsi le site consacré au « régime » du docteur Feingold, l'un des pionniers de la théorie de la relation entre le trouble du comportement enfantin et les additifs alimentaires, liste soixante-quinze études récentes prouvant l'existence de ce lien... Et ce, malgré l'insistance de l'industrie pharmaceutique à marteler le fait qu'il s'agit d'une condition qui ne peut se traiter que par voie médicamenteuse. Http://www.feingold.org/Research/adhd.html.

38

Évolution

Le temps était venu de remonter vers la surface.

Là, où l'air est respirable.

Mais cela ne signifiait pas pour autant que j'en avais terminé.

Tout au long de l'enquête, trois questions n'avaient jamais cessé de hanter mon esprit.

En retrouvant la lumière, j'allais enfin être en mesure d'y répondre.

*

La première nous concerne tous puisqu'elle touche à un échec collectif.

Il ne s'agit pas de savoir comment nous avons laissé la toxic food prendre le contrôle de nos estomacs ; entre cet ouvrage et son prédécesseur, j'ai en effet suffisamment évoqué les facteurs de notre défaite. Certes, nous avons une part de responsabilité – celle d'avoir baissé la garde –, mais la meilleure volonté du monde ne peut lutter contre l'armada se dressant face à nous. En effet, comment dire non alors que les géants de la nouvelle malbouffe sont parvenus à court-circuiter notre volonté pour s'adresser directement à nos gènes et notre inconscient plutôt qu'à la raison.

Non, mon premier étonnement ne touche pas aux explications de cette Berezina mais à la mollesse de notre résistance et à notre absence d'esprit de reconquête.

Car, à bien y réfléchir, force est de constater que les informations prouvant la toxicité de la nourriture industrielle sur nos organismes ne relèvent pas des secrets impossibles à élucider. De recherches scientifiques en rapports médicaux, les preuves sont à la disposition de chacun.

Bien sûr, je sais combien, comme je l'ai raconté en détail ici, les responsables de nos maux disposent d'énormes moyens pour cacher leur responsabilité. De la confusion à la collusion, leur travail de sape a été couronné de succès. Mais à nous aussi de reconnaître notre part de responsabilité dans ce choix du laisser-faire.

Notre société semble en fait avoir plus facilement tendance à se laisser fasciner pour la mort d'un artiste ou les déboires d'un autre qu'à s'intéresser aux thèmes touchant à sa propre survie. Un constat qui renvoie au passé et à des méthodes vieilles comme le monde : n'était-ce pas pour détourner l'attention de la plèbe que les dirigeants romains avaient inventé les jeux du cirque ?

La société de distraction dans laquelle nous sombrons fait le jeu des géants de la toxic food et soulage nos hommes politiques, trop heureux de ne devoir ni trancher ni rendre des comptes.

À nous donc – c'est urgent – de retrouver l'esprit de Spartacus.

*

Ma deuxième interrogation trouvera, chez la plupart d'entre vous, des échos familiers. Elle touche directement à notre capacité, une fois informés des périls, à ne plus avaler – gober, serais-je tenté d'écrire – les produits de la nouvelle malbouffe.

À plusieurs reprises dans ce livre, j'ai établi le parallèle entre les industriels du tabac et ceux de la toxic food. Je vais donc y recourir une fois encore.

Au cours des années 1980, lorsque, enfin, les cigarettiers ont dû rendre des comptes à la justice, nous avons découvert ce que de nombreux scientifiques avançaient depuis longtemps sans recevoir d'écho. Parmi les substances mélangées au tabac, certaines étaient choisies pour leurs capacités à susciter un état de manque. En clair, comme n'importe quelle drogue, la cigarette était source d'accoutumance et en décrocher se révélait difficile.

Alors, disons les choses clairement : la nourriture industrielle est la cigarette du XXIe siècle.

Si nous mangeons trop et mal, si, malgré la culpabilité et nos connaissances, nous éprouvons tant de difficultés à nous nourrir autrement, c'est parce que *certains* ingrédients contenus dans la malbouffe jouent le même rôle que ceux autrefois mixés au tabac : nous rendre accro.

Ce genre de dépendance a été prouvé, en théorie, en... 1976. Soit trois ans avant que les époux de Rosnay donnent un premier sens au néologisme qu'ils venaient de créer. Cette année-là, Anthony Sclafani, jeune chercheur de l'université de Chicago, publiait *Dietary Obesity in Adult Rats : Similarities to Hypothalamic and Human Obesity Syndromes*[1]. Un titre guère accrocheur mais une étude fascinante. Qui débutait par un... accident.

Par inadvertance, le scientifique avait en effet laissé tomber une poignée de Fruit Loops dans la cage d'un rongeur qu'il observait. Le rat s'était précipité sur la céréale colorée fortement sucrée et l'avait dévorée immédiatement.

La rapidité du mammifère ayant étonné Sclafani – les rats sont des animaux prudents et c'était la première fois qu'il en voyait un s'avancer vers la lumière sans prendre le temps de vérifier si les lieux étaient sûrs –, celui-ci décida de reproduire l'expérience de manière plus scientifique et à plus grande échelle. Et, cette fois, sur des rats nourris régulièrement de Fruit Loops pour simuler un comportement de dépendance.

Les résultats l'étonnèrent : alors que les rats vivaient à l'abri, il suffisait qu'il dispose quelques céréales en pleine lumière pour que les rongeurs se précipitent vers elles !

Le plus étrange, c'est que cette expérience ne fonctionnait pas avec la nourriture habituellement donnée aux rongeurs. Comme si *quelque chose* dans les céréales déclenchait cet appétit subit. *Quelque chose* de suffisamment puissant pour déprogrammer le code de survie inscrit depuis toujours dans l'ADN de l'animal !

Restait une ultime étape : nourrir les rats avec d'autres aliments appartenant à ce que Sclafani nommait alors le « régime supermarché », c'est-à-dire des produits de l'industrie agroalimentaire.

---

1. *Physical Behavior*, septembre 1976.

De la charcuterie industrielle aux biscuits, le résultat fut le même. Ignorant les risques et leur instinct, les rats se précipitaient sans hésiter vers cette nourriture. *Notre* nourriture.

Mieux – enfin pire : alors que le poids du rongeur s'autorégule à hauteur de ses besoins et de sa dépense en calories, la toxic food détruisait ce garde-fou. Non seulement les rats de Sclafani devenaient obèses mais, de plus, ne pouvant s'arrêter de consommer, ils mangeaient à en crever !

Il est des analogies tellement évidentes qu'il n'est pas la peine de les écrire !

*

Les expériences d'Anthony Sclafani peuvent être qualifiées de preuves de laboratoires, mais certaines données instructives, elles, sont bien palpables.

En 1978, aux États-Unis, l'industrie de ce que l'on peut appeler « l'additif alimentaire » pesait 1,3 milliard de dollars. Trente ans plus tard, alors que la toxic food a terminé de coloniser nos assiettes, cette activité, en dollars constants, dépasse les six milliards de dollars.

Une explosion – comme celle de l'obésité, des cancers, des maladies cardio-vasculaires et neurologiques – spectaculaire. Unique aussi. Aucun secteur industriel existant à la fin des années 1970 et toujours présent aujourd'hui n'a connu un tel bond. Une croissance continuelle qui ne montre pas le moindre signe de ralentissement.

Additionner des ingrédients à la nourriture remonte à la nuit des temps. Le sel, d'abord, joua le rôle de conservateur pour être ensuite rejoint, durant la seconde moitié du XIXe siècle, par des produits chimiques. Cette tendance s'est accélérée à la fin de la Seconde Guerre mondiale, période marquée par d'importants progrès en chimie, puis est devenue incontournable au milieu des années 1970.

Si, dans un premier temps, l'additif servait seulement à conserver, son rôle a évolué au fil des progrès technologiques. Rapidement, l'additif est devenu un moyen de faire baisser le coût d'un produit, par remplacement d'une matière première plus chère. Par exemple, l'extrait naturel de vanille a cédé la place à un arôme de synthèse.

L'additif de couleur, parfois naturel, le plus souvent synthétique, a évolué aussi. Alors que le colorant servait plutôt à masquer la détérioration d'un produit à cause de son conditionnement, les experts du marketing de la nouvelle malbouffe ont rapidement remarqué que la couleur tenait une part importante dans la décision d'achat. Dès lors, les colorants ont envahi les boissons, les desserts, les plats préparés puis les fruits, légumes et même la viande. Dans *Toxic*, je racontais comme on obtenait un rouge uniforme pour les tomates, mais j'aurais pu tout aussi bien décrire le même processus pour la couleur des oranges et celle, oscillant entre le rose et le jaune, du poulet préemballé. Dans tous les cas, l'idée maîtresse était la même : rendre un produit appétissant en usant de tous les artifices pour qu'il corresponde aux normes créées de toutes pièces par la publicité.

Enfin, au milieu des années 1980, le secteur de l'additif alimentaire a entamé sa dernière révolution : celle du goût.

Cette branche est aujourd'hui la plus lucrative du marché de l'additif. À elle seule, elle représente un tiers des revenus générés par l'activité, soit deux milliards de dollars.

Une tendance qui ne risque pas de s'inverser, tant les chimistes du goût sont les incontournables sorciers de la toxic food.

Car, répondant de manière définitive à ma deuxième question, ils exercent une mission essentielle : créer chimiquement l'addiction [1].

Comme, cinquante ans plus tôt, les fabricants de cigarettes.

*

Ma dernière problématique relève de l'explication. Au terme de cette enquête, j'ai démontré – je crois – que la nouvelle malbouffe nous rend mortellement malades. Certes, elle n'est pas le seul facteur de contamination mais, comme des centaines de travaux l'ont prouvé, elle en constitue la source principale.

Intellectuellement, l'analogie avec l'empoisonnement est excitante. Si la toxic food représente le venin, les maladies qu'elle crée jouent le rôle de la réaction à son intrusion dans l'organisme. Or cette réaction se trouve au cœur de ma réflexion. En effet, pourquoi notre corps réagit-il si violemment au poison ?

À mieux y songer, la réponse est évidente.

Et capitale.

En mai 2008, le département américain de l'Agriculture publia une étude comparative consacrée

1. Lire à ce sujet, *The End of Overeating* où des responsables de chaînes de restaurants et des dirigeants de sociétés de conception de goût synthétique confessent la nature volontairement addictive de leurs produits.

aux habitudes alimentaires du pays entre 1970 et 2005 [1].

Sans surprise, on y découvrait que la consommation des Américains avait largement augmenté au fil des années.

Mais, dans le détail, ces statistiques révélaient que la catégorie d'aliments ayant le plus progressé ces trente dernières années était celle « des graisses et de l'huile ». Soit les composants préférés de l'industrie alimentaire, puisqu'ils coûtent peu et satisfont nos papilles.

La consommation de sucres avait, elle, « seulement » augmenté de 19 %, la majorité étant désormais représentée par le sirop de fructose-glucose.

Le maïs, justement, on le retrouvait avec d'autres céréales en deuxième place sur ce podium. En trente ans, l'appétit pour ce produit avait crû de 43 %. Un chiffre qui cachait une autre vérité : ce n'était pas la consommation de produits céréaliers *complets* et riches en fibres et nutriments qui était responsable de ce bond mais l'explosion de l'utilisation des farines blanches, du pain raffiné aux pâtes blanchies.

*

Les graisses, les sucres, les farines blanches.

Soit les trois piliers de la toxic food.

Qui, lorsqu'on leur ajoute les produits laitiers, représentent plus de 72 % de nos apports caloriques quotidiens [2].

---

1. « Dietary Assessment of Major Trends in U.S. Food Consumption, 1970-2005 », USDA, mai 2008, http://www.ers.usda.gov/Publications/EIB33/EIB33.pdf.

2. Loren Cordain (*et al.*), « Origins and Evolution of the Western Diet : Health Implications for the 21st Century », *American Journal of Clinical Nutrition*, vol. 81, n° 2, 341-354, février 2005, http://www.ajcn.org/cgi/content/full/81/2/341.

Le cœur du problème est là.

Dans une course éperdue en avant, nous nous alimentons principalement d'ingrédients qui n'existaient pas au paléolithique, époque où les gènes qui nous définissent encore *aujourd'hui* se sont formés.

*

L'évolution de la nourriture a en fait dépassé le rythme de notre propre évolution.

Laquelle, plus encore que ses surcharges en graisse, sel, sucre et produits chimiques, ne correspond plus à nos besoins vitaux.

Mais voilà, continuant à engouffrer des aliments qui s'opposent à la genèse même de son identité humaine, l'*homo alimentus modernus* s'empoisonne bouchée après bouchée.

Épilogue

Le temps du changement est venu.

Au terme de cette plongée dans l'univers de la nouvelle malbouffe, au-delà des limites visibles de la pandémie d'obésité, je crois avoir prouvé sans contestation possible que la toxic food bouche nos artères, détruit notre foie et nos reins, ronge notre cerveau, grignote notre système digestif, propage les maladies et cultive les cancers. Rien que cela.

Désormais, cela ne fait aucun doute : la nourriture industrielle, soit 80 % de notre alimentation, est l'ennemi mortel de notre héritage génétique.

*

Le temps du changement est venu.

Mais cela ne veut évidemment pas dire qu'il faudrait revenir à l'époque où l'homme était un chasseur-cueilleur, se nourrissant des seules ressources disponibles à sa portée dans la nature, époque où les cancers modernes étaient certes une exception mais où le quotidien s'avérait largement plus périlleux et redoutable qu'aujourd'hui. Qu'on ne prétende pas que je milite pour un retour aux sources.

La modernité n'est assurément pas un concept, mieux, une réalité que je rejette.

Elle a été et doit continuer à jouer son rôle de moteur du progrès, qu'il soit social, technologique, culturel, médical, scientifique et industriel.

Pourtant, force est de reconnaître que notre ADN est plus proche de celui de nos ancêtres des cavernes que de la technologie animant les iPhones.

Alors ?

Alors il suffit d'adapter les préceptes du passé aux contraintes du présent.

L'alimentation de l'homme du paléolithique était principalement composée des fruits de la cueillette avec, de temps en temps, des produits de la pêche et de la chasse [1].

Ce qui pourrait être traduit, en 2009, de manière simple : des produits complets, des fruits et légumes si possibles issus de l'agriculture biologique et, en complément, des viandes maigres et du poisson.

Cette manière de se nourrir, bonne pour la santé comme pour l'environnement, a déjà un nom. Maladroitement traduit d'un néologisme américain, on dit de ceux qui l'adoptent qu'ils sont flexitariens [2].

Loin de ce genre d'étiquette, c'est en tout cas le mode de vie que ma famille et moi avons adopté depuis *Toxic*.

---

1. Gilles Delluc et Brigitte Delluc, « L'alimentation au paléolithique », *U.M.R.*, n°7194, C.N.R.S., département de Préhistoire du Muséum national d'histoire naturelle, Paris.

2. Http://www.passeportsante.net/fr/Actualites/Nouvelles/Fiche.aspx ?doc=2004032400 et http://en.wikipedia.org/wiki/Flexitarianism.

Sans regret.

Un régime alimentaire, au sens large du terme, dont nous mesurons chaque jour les bienfaits.

Ceci dit, de cette aventure « culinaire » je retiens surtout une donnée forte : l'enthousiasme manifesté par mes enfants à l'idée d'adopter ce nouveau style de vie. Ainsi que leur plaisir à découvrir des goûts non altérés par les tripatouillages réalisés dans les cuisines chimiques de la nouvelle malbouffe. De quoi y voir une immense source d'espoir.

Plus que la nôtre, peut-être, leur génération sera celle de la reconquête des assiettes. Une génération en tout cas consciente des dangers et pièges disposés par la toxic food. Une génération qui incarne notre meilleur agent du changement.

*

Le temps du changement est venu.

Mais cette révolution alimentaire ne pourra se gagner sans implication des hommes et femmes politiques, qu'ils gouvernent ou aspirent à le faire. Or, sur ce point, beaucoup de chemin reste à parcourir.

Nous l'avons vu : le modèle américain pro-industrie est solidement implanté en Europe grâce à l'influence économique de ses lobbies, notamment agricoles. Et que l'on parle de mesures volontaires ou de responsabilité partagée, la vérité des faits est là : les acides gras-trans, l'acrylamide, les nitrosamines et le sirop de fructose-glucose sont toujours présents sur nos tables.

*

Aux États-Unis, Barack Obama a fait du changement un thème majeur de sa campagne.

Élu à la tête de la première puissance mondiale, il pratique pourtant l'ambiguïté. Si, d'un côté, il s'affiche en couverture du *Men's Health* où, s'adressant à ses douze millions de lecteurs, il confesse que face au risque d'obésité rencontré par une de ses filles, la famille présidentielle a adopté un mode alimentaire qui rejette la nouvelle malbouffe [1] ; si, reconnaissant la part de responsabilité des sodas dans la pandémie d'obésité, il déclare que l'idée de surtaxer ces boissons – et d'utiliser les revenus qui en découlent pour des programmes de lutte contre la crise de surpoids – « devrait être explorée » parce que « si l'on veut avoir un impact important sur la santé des citoyens de ce pays, réduire des choses comme la consommation de sodas serait utile [2] » ; de l'autre, indiquant que le concept ne sera sûrement pas « exploré » intensément, il reconnaît qu'il « existe une résistance au Congrès et au Sénat sur ce genre de taxes », ajoutant : « Les élus de certains États produisant du sucre ou du sirop de maïs sont très sensibles à tout ce qui pourrait réduire la demande pour ses ingrédients [3]. » Pire, reprenant un discours créé par les géants de la toxic food, le Président ajoute : « Nos citoyens ne souhaitent pas nécessairement que Big Brother leur dise quoi manger et quoi boire et je comprends cela [4]. » Soit, mais cela doit-il devenir une excuse pour ne pas légiférer dans nos intérêts, qu'il s'agisse d'encourager, punir ou interdire ? Je ne le pense pas.

1. *Men's Health*, octobre 2009.
2. *Idem.*
3. *Idem.*
4. *Idem.*

Reste que pour agir ainsi, il faudrait qu'Obama – comme les autres – coupe les liens qui l'unissent au puissant monde de l'industrie alimentaire. Une rupture difficile à consommer.

Ainsi, le 13 juillet 2009, le docteur Regina Benjamin fut nommée par le Président américain Surgeon General, c'est-à-dire responsable des services médicaux du pays [1]. Or, dans la torpeur de l'été, l'arrivée de Benjamin fut sujette à quelques blagues sur ses kilos en trop. Certains, comme Bill Maher, comique défendant depuis longtemps les préceptes d'une révolution alimentaire, se demandèrent sérieusement si le poids du médecin n'était pas contraire, en temps de pandémie, à la valeur d'exemple attachée à sa fonction [2].

Mais il y avait quelque chose de plus gênant dans cette nomination. Jusqu'à son accès à cette fonction, Regina Benjamin siégeait en effet au comité scientifique attaché à la direction de... Burger King. Le premier concurrent de McDonald's y payait le médecin pour « promouvoir des conseils en faveur d'un régime équilibré et des choix de vie actifs [3] ». Or d'une enseigne proposant un hamburger à plus de 1 000 calories – la moitié de nos besoins quotidiens –, chargé de 65 grammes de graisse et 1 460 milligrammes de sodium, on est en mesure de douter des conseils de mieux-manger ! À moins que, à l'instar d'autres, jouant de la confusion des

1. Http://www.whitehouse.gov/blog/Dr-Regina-Benjamin-Nominee-for-Surgeon-General/ et http://www.medterms.com/script/main/art.asp ?articlekey=11998.

2. Http://www.huffingtonpost.com/bill-mahcr/ncw-rulc-you-cant-complai_b_291852.html.

3. Http://www.wkrg.com/alabama/article/dr.-regina-benja min-paid-by-burger-king/259468/Aug-13-2009_5-15-pm/.

genres, Burger King utilise lui aussi son comité scientifique comme cache-sexe.

Dès lors Bill Maher, qui n'a jamais masqué ses idées démocrates, n'a pas manqué de contester le choix d'Obama : « Le Surgeon General Benjamin a été conseiller en nutrition pour Burger King, a-t-il déclaré. Le seul conseil qu'un expert de la santé devrait donner à Burger King, c'est d'arrêter de vendre de la nourriture. La mission du "conseiller en nutrition" était décrite comme promouvant "des conseils pour un régime équilibré et des choix de vie actifs" – et qui est mieux placé pour faire cela que les mecs qui vous passent par la fenêtre de votre voiture de la viande et du sirop de maïs [1] ? » Mieux, la chute de Maher entra en écho avec le système décrit : « Lorsque vous avez un Surgeon General qui vient de Burger King, vous envoyez un message aux lobbies. Et ce message, c'est : "Faites ce que vous voulez" ! [2] »

C'est sûrement pour cela que, interrogé dans *Men's Health* sur la crise d'obésité, Barack Obama refusa de reconnaître la nécessité de déclarer la guerre au fléau, résumant ce combat à des recommandations déjà dépassées : « Si nous encourageons nos enfants à pratiquer une activité physique régulière, si nous les décollons de devant la télévision, si nous travaillons avec les écoles pour développer des menus nutritifs aussi peu chers que les pizzas et les frites qu'ils consomment actuellement, alors il ne nous faudrait pas grand-chose pour renverser la tendance [3] », déclara-t-il.

---

1. Http://www.huffingtonpost.com/bill-maher/new-rule-you-cant-complai_b_291852.html.
2. La formulation est un détournement direct du slogan de l'enseigne : *Have it your way.*
3. In *Men's Health*, *op. cit.*

Plus de sport, moins de télévision, de meilleurs menus dans les écoles qui abandonneraient les voyantes pizzas et frites pour les remplacer par une autre forme de nourriture industrielle... pas de doute, Bill Maher a raison : à la Maison-Blanche, l'industrie de la toxic food fait ce qu'elle veut.

Alors ?

Alors, comme cela a été réussi sur les sujets environnementaux, c'est à l'opinion, aux citoyens, de contraindre les hommes politiques à entreprendre la reconquête des assiettes et à transformer cette croisade en priorité de gouvernement.

Et pour y parvenir, échéance électorale après échéance électorale, nous disposons d'une arme qui leur fait peur : notre bulletin de vote.

*

Le temps est venu de changer.

Mais inutile de se bercer d'illusions : remporter cette bataille ne sera pas facile.

Plus que jamais, les titans de la nouvelle malbouffe multiplient les « astuces » pour que nous consommions plus de leurs produits.

La compagnie *Standard Meat*, de Dallas, est l'un de ces bras armés de l'ombre. Une image même pas exagérée puisque de sa façade d'immeuble anonyme à son site Internet minimaliste, cette société cultive la discrétion [1]. Or, derrière ces murs blancs, la société texane prépare la viande destinée à de nombreuses chaînes de restauration.

---

1. Http://www.standardmeat.com/Categories.aspx?ID=96c8e572-127f-4220-acef-57702bbc490d.

Dans d'immenses broyeurs et mélangeurs, les machines de *Standard Meat* ajoutent à la viande une sorte de purée de maïs et différents jus. Selon les produits, on retrouve du sirop de fructose-glucose, un mélange de protéines, de l'eau et du soja.

La préparation de la viande, souvent par injection, n'est ni une tendance nouvelle ni une spécificité américaine. Et l'Europe recourt aux mêmes techniques parce qu'elles permettent d'augmenter les profits. Ainsi, cela permet d'attendrir les morceaux qui ne sont pas de premier choix. Puis, comme raconté dans *Toxic*, d'ajouter de la masse aux produits vendus, le consommateur payant le prix fort une viande dont une partie du poids est en fait constituée d'un mélange d'eau et de sodium.

Les Pays-Bas, profitant d'une absence de législation stricte au sein de l'Union européenne, sont devenus champions de l'exportation de poulets « enrichis » de ce genre. Ainsi, chaque année, le pays vend 63 000 tonnes de morceaux de poulets congelés à ses partenaires européens. Une viande dans laquelle les producteurs néerlandais ajoutent jusqu'à 35 % de liquide [1] !

Je n'ai pas écrit « eau » contrairement au cadre de la loi européenne qui oblige de porter cette mention sur les étiquettes. Et pour cause : le poulet des Pays-Bas est enrichi selon le modèle américain. Avec de l'eau certes, mais aussi du sodium et un mélange de protéines... de porc [2].

Oui, vous avez bien lu : sans le savoir, nous consommons du poulet enrichi au porc, ce qui

1. Http://www.timesonline.co.uk/tol/life_and_style/food_and_drink/article1980529.ece.
2. *Idem.*

donne une dimension religieuse au problème. Le poulet néerlandais n'est-il pas principalement vendu, en gros, à la restauration ? Où, sur les menus, ne figure aucune mention de l'origine et de la présence du mélange. Résultat ? Les consommateurs de confessions juive et musulmane mangent une nourriture non conforme à leurs obligations religieuses.

Mais revenons à la *Standard Meat* de Dallas. Si elle brise la structure cellulaire de la viande, ce n'est pas uniquement pour la charger en marinade magique. C'est aussi pour en faciliter la mastication.

Car, comme le révèle David Kessler [1], l'industrie agroalimentaire est obsédée par notre manière de mâcher. Ou, plus précisément, par la nature du coup de mâchoire que nous donnons avant d'avaler une bouchée.

En moyenne, un aliment fait vingt et un allers-retours dans la bouche avant l'ingestion. Un processus important, notamment pour la satiété, puisque c'est la mastication qui envoie au cerveau le message que nous avons suffisamment mangé.

Or ce processus d'autorégulation est, selon les titans de la toxic food, un frein à la consommation. D'où les broyeurs de *Standard Meat* ! En prémâchant la viande, les machines de la compagnie de Dallas permettent de faire tomber le nombre de mastication à seulement six allers-retours ! Diviser le nombre *naturel* de mastication par plus de trois, c'est créer ce que la profession a baptisé de « la nourriture de bébé pour adultes [2] ». Et piéger notre instinct en l'incitant à consommer plus.

1. *The End of Overeating*, *op. cit.*
2. *Idem.*

*

Une nourriture prémâchée pour augmenter la quantité avalée, une viande salée, engraissée et sucrée pour exciter nos papilles, les stratégies mises en place par l'industrie agroalimentaire pour nous tromper ne manquent pas.

Alors ?

Alors, si nos choix dans l'isoloir sont les seuls arguments en mesure d'atteindre les politiques, une autre forme de bulletin de vote peut sanctionner les activités des promoteurs de la nouvelle malbouffe.

Je l'ai dit depuis la sortie de *Toxic* et je vais le répéter ici : nous votons à chaque repas. Notre porte-monnaie est le plus puissant des bulletins. À nous de l'utiliser pour sanctionner les choix dangereux pour notre santé. Comme les géants de la toxic food voudront continuer à prospérer, ils seront condamnés à changer.

Submergeant nos assiettes de produits responsables de maladies, ils négligent aujourd'hui de respecter une règle essentielle du commerce : ton client, tu ne tueras point !

*

Le temps de changer est venu.

Et, avec lui, émergent quand même de bonnes nouvelles.

Depuis quelques années, des chercheurs américains, français et québécois travaillent sur les effets de l'alimentation sur notre santé.

Grâce à ces scientifiques dont les noms peuplent les notes de bas de page de ce livre, nous connaissons désormais avec certitude les effets de la nouvelle malbouffe sur nos organismes.

Certes, leurs recherches sont anxiogènes, mais elles sont aussi libératrices. Car chacun, armé de leurs certitudes, pourra plus facilement renoncer à l'enfer de la toxic food.

Autre lueur d'espoir : certaines études se concentrent sur ce que signifie une nourriture saine. Dont les effets dépassent largement le cadre de nos attentes.

Et plus spécifiquement en cas de cancer.

Reprenons l'image du gazon utilisée par le professeur Campbell qui compare la phase de « promotion » au moment où l'herbe va pousser.

Si la nouvelle malbouffe joue là un rôle d'engrais en permettant une croissance rapide et fournie, une alimentation riche en produits complets et en fruits et légumes, elle, ne véhicule pas la maladie. Mieux, elle a une action réparatrice sur les cellules abîmées.

En clair, cela signifie qu'une nourriture différente limite l'essor du mal et, dans certains cas, fait disparaître les traces déjà présentes.

Ce qui confirme, comme Hippocrate le pensait, que notre nourriture est aussi notre remède.

*

Le temps est venu de changer.

Et les étapes vers la révolution alimentaire déjà bien balisées.

La première d'entre elles relève de la décision individuelle. Qui, en se démultipliant, va devenir collective.

Ensuite, il est de notre responsabilité de nous éduquer et de transmettre ce nouveau savoir pour dénoncer les tactiques des géants de la nouvelle malbouffe.

En somme, rejeter la toxic food revient à entreprendre une sorte de résistance civique, combat dont l'issue pèse sur le sort des nations.

C'est cet état d'esprit qui m'a en tout cas habité tout au long de cette enquête, et qui guide aujourd'hui encore ma plume.

Le temps est venu de changer.

Nous sommes ce que nous mangeons et notre avenir passe par nos assiettes.

Le combat vient de commencer et il est temps de passer à table.

Bon appétit et... à vous de jouer.

William Reymond,
Plano, le 27 septembre 2009.

Post-scriptum
Conflits d'intérêts ?

Le 2 octobre 2009, alors que ce livre s'apprêtait à partir en fabrication, l'Élysée a annoncé la création d'une commission pour la prévention de l'obésité.

Dans un courrier adressé à Anne de Danne, présidente de ce nouvel organisme, Nicolas Sarkozy a dressé l'état des lieux de la situation hexagonale sur le sujet : « Comme l'ensemble des pays industrialisés, la France n'est pas épargnée par le problème de l'obésité. Selon les études, 32 % de la population adulte sont en surpoids et entre 13 et 17 % sont obèses. Le surpoids et l'obésité surviennent de plus en plus tôt dans la vie : 17 % des enfants sont en surpoids et 3,5 % sont obèses.

« Cependant, la France est le premier pays européen à avoir réussi au cours des dix dernières années à stabiliser la prévalence de l'obésité chez l'enfant et à améliorer les conditions nutritionnelles. Cette amélioration s'accompagne cependant d'une augmentation des inégalités entre les catégories sociales [1]. »

Plus loin, le président de la République définissait le cadre des enjeux et travaux de la commission pour la prévention de l'obésité : « Il nous revient donc d'innover encore pour répondre à ce problème majeur de santé publique. [Afin que] nous puissions poursuivre et renforcer sans délai la politique ambitieuse que justifie cet enjeu majeur de santé publique [2]. »

Anne de Danne a pour mission de remettre au chef de l'État français, le 15 décembre 2009, un « rapport qui doit servir à préparer le troisième Plan national nutrition santé (PNNS) [3] ». Un document chargé d'orienter sur cette question majeure les futurs choix sanitaires, sociaux et scientifiques du pays.

Inspirée par le modèle américain et ses « tsars » du terrorisme, de la drogue ou du cancer, la France vient en somme de se doter d'une « Madame Obésité [4] ».

Avant d'aller plus loin, il convient de saluer ici la volonté politique qui place la lutte contre la pandémie d'obésité au centre des préoccupations nationales. Puisque, tout au long de ce livre, j'ai évoqué

1. Lettre du président Nicolas Sarkozy à Anne de Danne, 2 octobre 2009. Disponible en téléchargement à l'adresse suivante : http://www.elysee.fr/documents/index.php?mode=view&lang=fr&cat_id=1&press_id=2981.

2. *Idem.*

3. Http://tf1.lci.fr/infos/sciences/sante/0,,4828413,00-sarkozy-nomme-une-madame-obesite-.html.

4. C'est en effet sous ce titre que de nombreux organismes de presse ont présenté la nomination d'Anne de Danne. Http://tf1.lci.fr/infos/sciences/sante/0,,4828413,00-sarkozy-nomme-une-madame-obesite-.html.

la nécessité d'un changement, autant célébrer celui-ci lorsqu'il prend les allures d'une commission.

Un des autres termes – et thèmes – récurrents de cet ouvrage, c'est la notion de perception. Et son corollaire : ce phénomène bien connu qui, par exemple, donne l'impression d'un mouvement, d'une action, lorsqu'en fait règne le statu quo. L'illusion en somme.

Aussi, sans condamner d'avance les conclusions d'un rapport clef pour l'avenir sanitaire du pays ni juger de la probité de ses auteurs, faut-il livrer aux lecteurs quelques informations utiles et complémentaires.

Qui, je l'espère, le 15 décembre prochain, vous permettront d'évaluer avec le plus de justesse possible les travaux de la commission pour la prévention de l'obésité.

*

La femme qui prend la tête de la commission présidentielle et hérite du titre de « Madame Obésité » est une énarque, ancienne administrative civile et conseiller référendaire à la Cour des comptes depuis 1995. Mais ce n'est ni au titre d'ancienne de l'ENA ou de conseillère technique « en matière santé et famille » au sein du cabinet Balladur qu'Anne de Danne accède à la présidence de ce nouvel organisme.

En effet, comme le précise la dépêche AFP [1] ayant servi à la rédaction de la totalité des articles

1. Http://www.lefigaro.fr/flash-actu/2009/10/02/01011-20091002FILWWW00629-obesite-sarkozy-nomme-anne-de-danne.php.

publiés sur sa nomination, elle est la déléguée générale de la fondation Wyeth pour la santé de l'enfant et de l'adolescent.

Créée en juin 2003, cette fondation poursuit trois objectifs :

« Elle veut tout d'abord sensibiliser le grand public à propos des maladies chroniques afin de faire progresser le regard médical concernant les besoins spécifiques liés aux maladies graves et chroniques.

« Par ailleurs, la fondation soutient sur ces thèmes des projets de recherche. Elle soutient donc depuis 2004 des recherches, études et actions scientifiques permettant de prévenir les risques de santé des enfants et des adolescents et d'améliorer leur qualité de vie.

« Enfin, la fondation veut faciliter et engager les dialogues entre les jeunes et les adultes. Elle souhaite mettre les adolescents au cœur des débats sur les sujets qui les intéressent, les concernent, voire les inquiètent, de la façon la plus large et la plus spontanée. C'est pourquoi elle organise depuis 2005 des forums où des experts et des adolescents peuvent échanger leurs idées et confronter leurs points de vue [1]. »

*

En mai 2009, la fondation – dotée d'un budget de 10 millions d'euros – annonçait avoir soutenu 44 projets de recherches et actions scientifiques et

1. Http://www.fondation-wyeth.org/la-fondation/3-axes/article/plusieurs-objectifs.

prorogea son activité pour cinq années supplémentaires « avec comme priorités les maladies chroniques et la thématique de la réussite pour les adolescents [1] ».

Dans le meilleur des mondes, l'histoire aurait dû s'arrêter là.

Mais nous vivons une époque complexe où le mélange des genres, même public, est fréquent.

Ainsi la fondation Wyeth est-elle une création de Wyeth Pharmaceuticals France, branche hexagonale du neuvième groupe pharmaceutique mondial dont les produits sont vendus dans 150 pays.

Si j'ai immédiatement réagi en découvrant le nom de la fondation dont Anne de Danne est déléguée générale, c'est parce qu'il est connu aux États-Unis. Cette compagnie pharmaceutique au siège installé dans le New Jersey s'est en effet retrouvée, ces dernières années, à la une des médias. Pour de bonnes [2] et, parfois, moins bonnes raisons.

En 1997, un médicament creée par Wyeth pour lutter contre… l'obésité a été retiré du marché par l'US Food and Drug Administration (FDA) après la multiplication de ses effets secondaires, entraînant parfois le décès du patient. Un scandale qui coûta plus de 13 milliards de dollars en frais judiciaires et compensations au laboratoire [3].

Plus récemment, en juillet 2009, sous la pression du *New York Times*, un juge fédéral de l'Arkansas a

1. Http://www.entreprise-citoyenne.com/2009/05/prorogation-de-la-fondation-wyeth-pour-5-ans.html.

2. Ainsi en 2001, Wyeth lançait le Prevnar, un vaccin protégeant les enfants contre les risques de méningites, de pneumonies bactériennes et de septicémie, http://en.wikipedia.org/wiki/Prevnar.

3. Http://en.wikipedia.org/wiki/Fen-phen.

rendu publics des éléments attestant que le laboratoire avait rédigé des rapports scientifiques favorables à l'un de ses produits avant de le faire signer par des chercheurs [1]. Une pratique d'autant plus regrettable que, selon son site, « Wyeth Pharmaceuticals s'est donné pour objectif de devenir la meilleure société biopharmaceutique du monde au sens éthique du terme. Cette conception exigeante d'un métier en pleine mutation, impliquant une responsabilité médicale, mais aussi sociale et sociétale, a conduit Wyeth Pharmaceuticals France à créer en 2003 la fondation Wyeth pour la santé de l'enfant et de l'adolescent [2]. »

Wyeth Pharmaceuticals m'est aussi familier pour une raison directement liée à la pandémie d'obésité. En décembre 2008, le laboratoire américain a en effet payé 120 millions de dollars pour acquérir les droits du TKS1225 [3]. En attente d'approbation, ce produit mis au point par la compagnie Thiakis est un médicament... anti-obésité.

Sans tirer de conclusions hâtives, il me paraît tout de même gênant de constater que la personnalité choisie pour devenir « Madame Obésité » vient d'une fondation édifiée par un laboratoire espérant prochainement mettre en vente un produit anti-obésité.

---

1. Http://speakingofmedicine.plos.org/2009/07/25/successful-intervention-by-plos-medicine-and-new-york-times-in-federal-court-grants-public-access-to-evidence-that-drug-company- %E2 %80 %98ghostwrote %E2 %80 %99-medical-articles-about-hormone-therapy-dru/.

2. Http://www.fondation-wyeth.org/la-fondation/un-groupe-fondateur/article/wyeth-pharmaceuticals-france.

3. Http://www.fondation-wyeth.org/la-fondation/un-groupe-fondateur/article/wyeth-pharmaceuticals-france.

Certes, on pourra, à juste titre, répondre que la fondation Wyeth n'est pas Wyeth Pharmaceuticals. Soit. Mais Anne de Danne n'est pas uniquement déléguée générale de la fondation. Depuis 2000, elle est aussi « directrice des affaires institutionnelles et de la communication, directrice des affaires publiques de la société Wyeth Pharmaceuticals France [1] ».

Je ne cherche pas à remettre en cause ici la probité d'Anne de Danne ni la légitimité de son travail en tant que chargée de mission de l'Élysée, je regrette seulement que la commission pour la prévention de l'obésité du Président Nicolas Sarkozy n'ait pas choisi une personnalité ayant exercé d'autres fonctions. Et éviter de futures et désobligeantes remarques sur d'éventuelles probabilités de conflits d'intérêts.

*

La présence d'Anne de Danne n'est pas seule à prêter le flanc à la critique.

Pour préparer un rapport essentiel à la mise en place du troisième PNNS, « la commission comporte quatorze membres, dont Dominique Turck, chef du service de pédiatrie du Centre hospitalier universitaire de Lille, Anne-Sophie Joly, présidente du Collectif national des Associations d'Obèses, Jean-Louis Nembrini, directeur général de l'Enseignement scolaire ou encore Christine Kelly, membre du Conseil supérieur de l'Audiovisuel [2]. »

---

1. Http://www.professionpolitique.info/fiche/personnalite/anne-de-danne.

2. Http://www.lefigaro.fr/flash-actu/2009/10/02/01011-20091002FILWWW00629-obesite-sarkozy-nomme-anne-de-danne.php.

Si la liste fournie par l'AFP n'est pas complète, j'ai réussi à me procurer la version intégrale auprès du service de presse de l'Élysée. En plus des noms déjà cités, on y remarque la présence de quelques politiques comme Valérie Boyer, députée des Bouches-du-Rhône et présidente de la mission parlementaire d'information sur la prévention de l'obésité. Mais aussi Jean-René Buisson, président de l'Association nationale des Industries alimentaires (ANIA).

L'ANIA, dont le siège est – ironie du hasard – installé à l'ancienne adresse de Coca-Cola France, est « le porte-parole de l'industrie alimentaire française, premier secteur industriel national avec, en 2008, un chiffre d'affaires de 162,9 milliards d'euros [1] ».

Si je n'ai rien contre le fait de discuter avec les représentants de l'industrie agroalimentaire, fallait-il pour autant nommer le premier de ses membres dans une commission dont l'importance, selon la formule présidentielle, touche « à la prévention et au traitement des problèmes de nutrition et leurs conséquences sur l'espérance et la qualité de vie de la population française [2] » ?

D'autant que les idées de Jean-René Buisson sur la question semblent assez arrêtées. Ainsi, dans un entretien extrait du rapport d'activité 2007, celui-ci déclarait : « Sur Nutrition-Santé, la ligne rouge est en train d'être franchie… dans ce domaine, "trop, c'est trop !" Après avoir esquivé plusieurs fois, au cours des dernières années, les menaces de taxation

---

1. Http://www.ania.net/fr/industries-alimentaires/presentation-ania/.
2. Lettre de Nicolas Sarkozy à Anne de Danne, *op.cit.*

sur nos produits, il semble que cette idée revienne au galop, dans le cadre du nouveau projet de loi de financement de la Sécurité sociale 2008. L'objectif est, tout simplement, de trouver un bouc émissaire pour combler les déficits publics abyssaux ! À cela s'ajoutent les menaces d'interdiction de la publicité à destination des enfants... Certains parlent même d'une interdiction de 7 heures à 20 heures, comme pour les films X ou violents ! Sans parler encore des menaces d'interdiction de nos produits en sorties de caisses...

« Dans une économie libérale, comment ne pas être choqué par de telles mesures qui reviennent tout simplement à réglementer l'organisation des linéaires, les comportements individuels et les choix individuels en matière de consommation ? Nous sommes convaincus que la bonne approche n'est pas l'inflation législative qui encadre tout, mais qu'il est plus efficace de considérer les acteurs économiques comme des partenaires de confiance, pouvant à leur niveau contribuer et apporter leur brique à l'édifice [1]. »

Refus d'une taxation des produits les plus responsables de la pandémie d'obésité, évocation des choix individuels et appel aux mesures volontaires des industriels... autant de thèmes développés aux États-Unis et traités tout au long de ce livre.

Une proximité que l'on constate à nouveau lorsque Jean-René Buisson s'en prend à ceux qui dénoncent la toxic food :

« Il est très dangereux de jouer avec des concepts que l'on ne maîtrise pas, notamment lorsqu'il s'agit

1. Http://www.ania.net/fr/presse/communiques/91.htm.

d'alimentation et que l'impact psychologique peut être dramatique.

« On observe effectivement, de plus en plus souvent, des voix qui s'élèvent pour crier au loup et faire croire que ce qu'on donne à manger nous tue à petit feu. [...]

« Si ce que nous consommions était nocif pour la santé, cela se saurait ; les pouvoirs publics ne laisseraient certainement pas ces produits dangereux en libre-service. Ces derniers seraient, tout simplement, interdits, comme l'est la drogue, ou du moins réglementés, comme le sont les médicaments ! Nous n'en sommes pas là pour l'alimentaire, c'est évident [1] ! »

Des acides gras-trans, en passant par le sirop de fructose-glucose à l'acrylamide, j'ai dévoilé dans ce livre suffisamment de raisons de croire que, parfois, l'évidence n'est pas aussi… évidente.

Mais c'est la fin des propos du président de l'ANIA qui confirme que les outils de communication inventés de l'autre côté de l'Atlantique, directement chez les pères fondateurs de la toxic food, sont désormais utilisés en France : « La mise en circulation sur le marché d'un produit alimentaire nécessite des contrôles drastiques et fréquents, qui sont parfois ignorés du grand public et des "ayatollahs" véhiculant ces idées dangereuses et anxiogènes [2]. »

« Gestapo », « stalinien », mollahs » et « ayatollahs »… L'usage de certains termes ressemble beaucoup à la stratégie de défense de l'industrie de la nouvelle malbouffe. Décidément, la boucle est bouclée.

1. *Idem.*
2. *Idem.*

*

Entre une présidente, directrice au sein d'une multinationale préparant un médicament anti-obésité, et un membre assimilant la critique de la nourriture industrielle à une sorte de fanatisme religieux, force est de reconnaître que la commission pour la prévention de l'obésité de Nicolas Sarkozy ne paraît pas née sous les meilleurs auspices.

Mais, en attendant son rapport du 15 décembre 2009, espérons que son travail soit à la hauteur de l'enjeu.

De mon côté, fidèle à ma volonté d'être un citoyen engagé, je promets d'envoyer de la lecture à chacun de ses membres. La lecture de *Toxic Food*, évidemment.

Et même à Jean-René Buisson.

Bibliographie[1]

Stella et Joël de Rosnay, *La Malbouffe : comment se nourrir pour mieux vivre*, Olivier Orban, 1979.

David Steinman et Samuel S. Epstein, *The Safe Shopper's Bible*, Hungry Minds Inc., 1995.

José Bové et François Dufour, *Le monde n'est pas une marchandise : des paysans contre la malbouffe*, La Découverte, 2000.

Walter C. Willet, *Eat, Drink and Be Healthy : The Harvard Medical School Guide To Healthy Eating*, Free Press, 2002.

Ruth Winter, *A Consumer's Dictionary of Food Additives*, Three Rivers Press, 2004.

Kelly D. Brownell & Katherine Battle Horgen, *Food Fight*, McGraw-Hill Professional, 2004.

Paula Baillie-Hamilton, *Toxic Overload*, Avery Publishing Group, 2005.

1. Classée par ordre chronologique.

Thomas F. Pawlick, *The End of Food*, Barricade Books, 2006.

Randall Fitzgerald, *The Hundred-Year Lie*, Plume Book, 2007.

Geoffrey C. Kabat, *Hyping Health Risks*, Columbia University Press, 2007.

Libby McDonald, *The Toxic Sandbox*, Perigee, 2007.

William Reymond, *Toxic, obésité, malbouffe, maladies, enquête sur les vrais coupables*, Flammarion, 2007.

David Steinman, *Diet for a Poisoned Planet*, Thunder's mouth Press, 2007.

David Servan-Schreiber, *Anticancer*, Robert Laffont, 2007.

Liz Armstrong, Guy Dauncey et Anne Wordsworth, *Cancer*, New Society Publishers, 2007.

Bill Statham, *What's in your food?*, Running Press, 2007.

Kimberly Lord Stewart, *Eating Between The Lines*, St.Martin's Griffin, 2007.

Michael Pollan, *In Defense of Food*, The Penguin Press, 2008.

David Michaels, *Doubt is their product*, Oxford University Press, 2008.

T. Colin Campbell et Thomas M. Campbell, *Le Rapport Campbell*, Ariane, 2008.

David Ewing Duncan, *Experimental Man*, Wiley, 2009.

Bibliographie

Hank Cardello et Doug Garr, *Stuffed*, Ecco, 2009.

David A. Kessler, *The End of Overeating*, Rodale Press, 2009.

Tony Gonzalez et Mitzi Dulan, *The All-Pro Diet*, Rodale Press, 2009.

Remerciements

Évidemment – et plus que jamais – ce livre n'aurait pu exister sans le soutien et l'amour de Jessica, Thomas et Cody. Non seulement ils ont été une formidable source de motivation pour reprendre mon exploration des coulisses de la nouvelle malbouffe, mais leurs encouragements à partager mes découvertes n'ont jamais faibli. Même si cela signifiait me voir disparaître pendant de longues semaines.

J'espère donc que ce livre sera à la hauteur de ce que vous m'avez offert.

Chez Flammarion – et dans des conditions encore plus particulières que d'habitude –, je tiens à remercier Thierry Billard, qui a tenu courageusement la barre, brillamment secondé par Cédric Gaultier.

J'espère que ce livre confirmera l'adage selon lequel rien n'est plus beau qu'un lendemain de tempête.

Toujours chez Flammarion, j'ai une pensée pour Gilles Haeri. Que je remercie une fois encore de sa confiance. Ainsi que pour Patricia Stanfield, pour ses efforts à diffuser mon travail hors de nos frontières et, bien entendu, à Soizic Molkhou, qui, épaulée par Claire Fercak et Vivien Boyer, se démène sans pareil afin de promouvoir mes conclusions.

Un mot aussi pour les équipes de l'ombre, des commerciaux à la fabrication, qui rendent anonymement tout cela possible.

J'espère que ce livre donnera un sens à vos efforts.

Merci aussi à Flammarion Québec, où il est difficile de ne pas englober tout le monde tant l'accueil que j'y reçois à chacune de mes visites est tout simplement fantastique. Une pensée plus particulière quand même pour Alain-Napoléon, Guy, Jean-Michel et Louise.

J'espère que ce livre continuera à justifier la confiance placée en moi.

Et puisque je suis du côté de la Belle Province, autant y rester.

Ces dernières années, j'ai eu le rare privilège de m'y faire de véritables amis. Je pense ici bien évidemment à Guy A. Lepage (message personnel : merci pour la leçon, fini les 10-4), Mélanie Campeau (message personnel : merci pour ton enthousiasme et ta gentillesse), Théo Lepage-Richer (message personnel : merci de faire aussi bien semblant de t'intéresser à mes souvenirs d'ancien combattant) et bien sûr Yves Simoneau (message personnel : cela existe le terme « frère d'écriture » ?

Si ce n'est pas le cas, frère tout court fonctionne aussi bien. Merci pour tout. Et le reste).

Toujours au Québec, je pense aussi à Pierre Raymond, Benoît Perron, Paul Arcand, Denis Levesque, Harold Piuze, Anne Poisson, Richard Speer et Josée Vallée.

À Paris, merci à Michel Despratx, Patrice Des Mazery et Fabien Bardoux.

Merci également – du parquet de Lifetime aux tables de poker sans oublier nos road-trips – à Mike, James, Ryan, Fahad, Ashley, Mœ, Jamil, Marcus, Arash, Big Paul et les autres.

Un énorme merci à Carole Albouy dont le talent permet au www.williamreymond.com d'exister et évoluer. Sa passion pour la cuisine s'illustre avec brio sur le www.altergusto.fr.

Et puisqu'il est question de gastronomie et d'Internet, une pensée pour Anne du www.papillesetpupilles.fr dont le soutien apporté à *Toxic* a été précieux.

Comme d'habitude, Bruce Springsteen a contribué largement à la bande originale de mes nuits de travail. Cette fois-ci, le compositeur Paul Cantelon l'a solidement épaulé.

Enfin, je ne pouvais terminer cet ouvrage sans sincèrement vous remercier, vous, chers lecteurs. Comme je l'ai écrit en ouverture de ce livre, votre courrier incessant a été un moteur essentiel à sa naissance. Si je n'y réponds pas avec l'assiduité qu'il mérite, sachez que je lis chacun de vos messages. Et que j'apprécie la confiance que vous m'offrez depuis des années.

J'espère que ce livre sera à la hauteur de vos attentes et, surtout, vous incitera à passer à l'action.

Nobody wins, unless everybody wins.

William Reymond
william@williamreymond.com
http://www.facebook.com/william.reymond
http://www.twitter.com/williamReymond

Table

Cet ouvrage a été imprimé par

Mesnil-sur-l'Estrée

pour le compte des Éditions Flammarion
en octobre 2009

Mise en page par Méta-systems
Roubaix (59100)

Imprimé en France
Dépôt légal : novembre 2009
N° d'édition : L.01ELKN000186.N001 – N° d'impression : 97129